KB183763

트래블로그^{Travellog}로 로그인하라!
여행은 일상화 되어 다양한 이유로 여행을 합니다.
여행은 인터넷에 로그인하면 자료가 나오는 시대로 변화했습니다.
새로운 여행지를 발굴하고 편안하고
즐거운 여행을 만들어줄 가이드북을 소개합니다.
일상에서 조금 비켜나 나를 발견할 수 있는 여행은
오감을 통해 여행기록^{TRAVEL LOG}으로 남을 것입니다.

---

*대만어(중국어) 표기 안내
이 책에서 나오는 대만어(중국어)의 한글 표기는 실용적인 활용을 위해 구글맵^{Google maps}과 한국인 여행자들에게
굳어진 단어로 표기하였으며, 이외에는 국립국어원의 외래어 표기법에 따랐다.

타이중의 사계절

타이중臺中에 대해 잘 모른다면 더운 날씨로 유명한 다른 동남아시아처럼 타이중도 1년 내내 더울 것이라 생각한다(사실 대만은 지리적으로 동북아시아에 속한다). 그러나 타이중의 날씨는 1년 12달 내내 덥기만 하지 않다. 우리나라처럼 영하 10도 이하로 내려가는 혹독한 겨울 날씨는 전혀 없지만, 생각보다 쌀쌀하다면 예정에 없던 지출이 생길 수도 있다. 따라서 타이중 여행을 계획하는 사람이라면 타이중의 계절이 어떠한지 잘 알아두고 가야한다.

타이중臺中의 연평균 기온은 최저 기온이 12℃, 최고 기온이 34℃다. 몬순 기후의 영향을 받기 때문에 여름에는 고온다습하고 비가 많이 오며, 겨울은 여름과 비교해 보았을 때 저온건조하고 강우량이 적다.

타이중臺中은 1~2개월 간격으로 봤을 때 강우량이나 기온에 큰 차이가 없으며, 우리나라처럼 사계절을 나눌 수 있는 명확한 기준도 없다. 타이중의 사계절을 나누려면 기온과 강우량이 비교적 차이나는 월별로 구분해 살펴보는 것이 가장 좋다.

봄 | 2〜4월

통계적인 평균 기온은 24℃지만 한낮에는 30℃까지 올라가는 일도 종종 있다. 월평균 강우량은 100㎜정도지만, 강수 확률은 30% 정도로 비가 올 확률도 높지 않기 때문에 여행하기에도 좋은 날씨다. 그러나 아침, 저녁으로는 다소 선선할 수 있다. 추위를 잘 탄다면 얇은 긴팔을 입거나, 반팔을 입는다면 가디건을 준비하는 것이 좋다.

여름 | 5∼8월

타이중臺中의 여름은 5월부터 시작된다. 5월부터는 타이중의 기온이 평균 30℃, 습도가 60%에 접어들며 6월부터는 30℃를 가볍게 넘고 습도 또한 80%를 웃돈다. 여름 중에서도 특히 6-8월은 강우량이 집중되는 시기로 월평균 200∼300㎜의 비가 쏟아진다. 하지만 강수 확률이 50% 정도라 비가 많이 오기보다는 날씨가 흐리거나 해가 뜨는 경우가 대부분이며, 이 시기에 여행을 갈 때는 작은 우산을 챙겨가는 것이 좋다.

가을 | 9~10월

타이중臺中의 기온과 습도가 조금씩 내려가는 시기이며 강우량 또한 낮아지는 때다. 10월부터는 날씨가 많이 선선해지기 때문에 여행하기 좋은 시기지만, 10월까지는 이따금 태풍이 올 때가 있다. 이 시기에 여행한다면 태풍 때문에 여행에 차질이 생길 수 있음을 알아두고 계획하는 것이 좋다.

겨울 | 11~1월

가장 쾌적한 타이중臺中 여행을 즐길 수 있는 시기다. 찜통더위도, 비도, 태풍도 없어 타이중을 여행하기 가장 좋다. 평균 기온은 24℃지만, 한낮에는 30℃까지 올라가기도 한다. 평균 강우량 또한 30mm로 적은 편이다. 그러나 아침, 저녁으로는 다소 쌀쌀하기 때문에 얇은 긴팔을 입거나, 반팔을 입는다면 가디건을 챙겨놓는 것이 좋다.

Intro

남북으로 길게 뻗어있는 대만 중부에 위치한 타이중臺中은 한국인에게 다소 생소한 도시다. 보통 대만 여행이라고 생각한다면 타이베이臺北를 생각하는 사람들이 많고, 실제로 한국 여행자들이 가장 많이 방문하는 대만 여행지도 타이베이기 때문이다. 이처럼 대만 여행을 계획해본 사람이나 대만 여행을 다녀와 본 사람들에게만 알려져 있던 타이중은 여행 예능 프로그램에 소개되기 시작하면서 이름이 알려지기 시작했다.

그렇다면 대만의 떠오르는 여행지인 타이중臺中은 어떤 곳일까. 타이중은 타이베이에 이어 두 번째로 많은 인구가 사는 지역으로 대만의 제 2의 도시로 지정됐다. 특히 타이중은 대만 유일의 국립 미술관이자 아시아 최대 규모를 자랑하는 국립대만미술관을 갖고 있으며,

대만 최초의 오페라 전용 극장이자 독특한 외관을 가진 국가가극원도 위치해있어 문화와 예술의 도시라는 이름으로 불리기도 한다.

타이중^{臺中}은 굵직한 현대 건물 이외에도 근현대사를 품은 타이중 기차역 같은 국가 지정 고적, 공자묘와 보각선사 등 사당 및 사찰, 그리고 독특한 벽화가 그려진 무지개 마을 등 볼거리를 갖고 있다. 또 대학교가 많아 시내 여러 곳에 위치한 대학교를 중심으로 상권 및 야시장이 형성돼있어 다양한 볼거리와 먹을거리를 함께 즐겨볼 수도 있다.

타이중^{臺中}은 미식의 도시라고 불리는 타이난^{台南} 만큼이나 미식을 즐길 수 있는 도시다. 시내 곳곳에서는 허름하지만 저렴한 현지 식당에서 맛있는 현지 음식을 만나볼 수 있으며, 현대적이고 감각적인 식당 및 카페에서는 맛있고 익숙한 퓨전 및 현대 음식과 음료 및 디저트를 먹고 마시며 혀가 행복한 타이중 여행을 보내게 될 것이다.

타이중^{臺中}은 시내만 해도 다양한 매력을 갖고 있지만, 타이중에서 1~2시간 이내로 만나볼 수 있는 근교의 여행지를 놓치면 또 아쉽다. 타이중 시내 동쪽의 동해대학교 내에 있는 독특한 외관의 루체 교회는 많은 이들의 포토 존으로 꼽히며, 아시아의 우유나라는 별칭을 가진 고미습지에서는 찰랑이는 바닷물을 배경으로 분위기 있는 역광 반영 사진을 남겨볼 수 있다.

타이중臺中을 벗어나 남쪽으로 1시간 정도 내려가면 볼거리가 많은 소도시인 장화彰化와 루강鹿港도 만나볼 수 있다. 장화는 아시아 최대의 불상 대불인 팔괘산대불이 있으며, 특히 한국에서도 흥행했던 〈그 시절, 우리가 좋아했던 소녀〉의 배경이 된 곳으로 시내 곳곳에서 촬영지를 찾아볼 수도 있다.

루강鹿港은 과거 항구 도시로서의 중요한 역할을 했던 곳이다. 300여 년 전의 옛 건물과 거리가 잘 보존돼 골목 구석구석을 탐방하면서 시간 여행을 하는 기분에 빠질 수도 있고, 간단하게 먹을 수 있는 간식인 샤오츠小吃 맛집이 여기저기 널린 곳으로 눈도 입도 즐거운 소도시 여행을 즐길 수 있을 것이다.

타이중臺中의 남서쪽으로 향하면 지선 열차로 갈 수 있는 작은 마을 처청車埕과 대만 8경 중하나로 꼽히는 호수인 일월담日月潭을 만날 수 있다. 처청은 과거 임업林業으로 성장한 마을로 기차역부터 시작해 마을 곳곳의 건물들에서 그 흔적을 느낄 수 있으며, 거대한 산과 작은 호수를 갖고 있는 처청의 아름답고 소소한 풍경은 꼭 한번 들려서 감상해볼만 하다.

일월담^{日月潭}은 타이중 시내에서 2시간 정도 소요되는 곳에 위치해있지만, 긴 이동 시간만큼의 감동을 느낄 수 있는 곳이다. 에메랄드빛의 광활한 호수와 나무가 빼곡하게 들어찬 진녹의 산은 바라보기만 해도 마음이 정화되는 느낌이 들며, 시간과 돈이 아깝지 않다는 생각이 절로 들게 된다. 타이중 여행에서 대자연의 감동을 느끼고 싶다면 반드시 들러야할 곳이다.

타이중^{臺中}은 대만의 떠오르는 여행지인 만큼. 어디를 가나 한국어가 들리는 타이베이^{臺北}에 비해 한국인 관광객을 만나는 일이 드문 편이다. 외국에서 한국인 관광객이 많아 외국 느낌을 받지 못하는 것을 꺼리는 사람들에게 좋은 곳이 될 것이다. 또 따뜻한 타이중의 시민들이 여행자들에게 베푸는 친절함은 타이중에서의 여행을 더 좋은 기억으로 만들어줄 것이다.

트래블로그 타이중은 타이중^{臺中}의 다양한 관광지 및 식당을 직접 방문하고, 밤낮으로 걷고 뛰며 진짜 모습을 담고 취재했다. 또 대만과 타이중을 처음 방문하는 여행자는 물론, 중국어를 잘 알지 못하는 사람도 쉽게 자유 여행을 즐길 수 있도록 실제적이고 유용한 여행 정보를 가득 담았다. 타이중에 방문할 계획이 있다면, 타이중을 즐길 준비가 됐다면 이제 트래블로그 타이중을 가지고 떠나자!

타이베이

신주

이란

먀오리

타이중

장화

화롄

윈린

자이

타이난

타이동

핑동

가오슝

헝춘

란위섬

한 눈에 보는 타이중

타이중臺中은 대만 중부에 위치한 곳이다. 아열대성 몬순 기후의 영향을 받아 대체로 온화한 날씨지만, 5월에서 9월은 날씨가 무덥고 습도가 높은 편이다. 타이중 국제공항에서 타이중 시내까지는 1시간 정도 소요되며 버스로 쉽게 이동할 수 있다.

타이중臺中 시내의 대표적인 볼거리로는 국립대만미술관과 국가가극원, 그리고 안과건물을 개조해 사용하는 궁원안과가 있으며, 시내에서 조금 떨어진 곳에는 독특한 벽화의 무지개 마을과 동해 대학교의 루체 교회, 아름다운 석양을 볼 수 있는 고미습지가 있다.

타이중臺中 시내에서 1~2시간 거리에는 영화 〈그 시절, 우리가 좋아했던 소녀〉의 촬영지가 있는 장화彰化와 대만의 옛 거리를 느껴볼 수 있는 루강鹿港, 거대한 산에 둘러싸인 작은 호수와 나무로 유명한 작은 마을 처청車埕, 대만 최대의 담수호인 일월담日月潭 등이 있어 다양한 매력의 대만 중부를 만나볼 수 있다.

▶ **위치** | 대만 중부
▶ **인구** | 약 277.8만명
▶ **면적** | 2,952㎢
▶ **연평균 기온** | 23℃
▶ **시차** | 1시간(한국이 1시간 더 빠름)
▶ **비자** | 90일까지 무비자 체류 가능
　　　　　(여권 유효기간 6개월 이상 및
　　　　　왕복항공권 소지자)
▶ **화폐** | 대만달러(NT$, NTD, TWD) 또는 위안 元
▶ **언어** | 대만어(중국어)

Contents

>> 타이중 여행에 꼭 필요한 Info

〉〉 타이중   122

타이중 IN
타이중 입국 절차 / 타이중 입국 시 반드시 주의해야할 사항 / 공항에서 시내 IN
시내교통
아이패스와 이지카드에 대한 모든 것
타이중 핵심 개념 지도
타이중 한 눈에 보기 지도

중구   140
볼거리
타이중 옛 기차역 / 타이중 문화창의 산업단지 / 궁원안과 / 천월대루
신성녹천수안랑도 / 타이중 시역소 / 일복당 / 구개태양기함점 / 타로코 몰
EATING
타이중 제 2시장 맛집 BEST 5
SLEEPING

>> 타이중 근교 264

About 타이중

다양한 매력을 느낄 수 있는 볼거리

타이중^{臺中}은 타이중의 역사를 그대로 간직한 타이중 기차역, 독특한 벽화가 가득히 그려진 무지개 마을, 한적함 속에 정갈함을 품은 공자묘, 그리고 타이중을 넘어서서 대만 유일의 국립 미술관인 국립 대만 미술관과 오페라 전용 극장인 국가가극원 등 근현대를 넘나드는 다양한 매력의 볼거리를 만나볼 수 있다.

동북아를 아우르는 미식의 집합

대만은 독자적인 전통 음식도 많지만, 동북아 주변 국가의 영향을 많이 받아 다양한 음식을 맛볼 수 있는 곳이다. 여행자들은 타이중룸中 곳곳에 있는 식당과 야시장에서 입맛에 찰떡같이 맞는 음식과, 때로는 전혀 먹어보지 못한 독특한 음식을 맛보면서 타이중 여행의 진가를 느낄 수 있을 것이다.

저렴한 대중교통과 자전거 여행

타이중臺中은 시내 이곳저곳을 연결하는 버스 노선이 잘 갖추어져있는데다, 교통카드로 버스에 탑승하면 10㎞ 이내는 무료로 이용할 수 있다. 또한 시내 곳곳에 타이중 공공 자전거인 U-Bike 대여소가 있어 타이중 구석구석을 쉽게 돌아볼 수 있다.

함께 즐길 수 있는 매력적인 소도시

타이중^{臺中}에서는 1~2시간 안에 인근에 위치한 소도시로 쉽게 이동할 수 있다. 독특한 관광 명소를 품은 조용하고 한적한 소도시 장화^{彰化}, 과거로 시간 이동한 착각이 들 정도로 옛 모습이 잘 보존된 루강^{鹿港}, 작은 마을이지만 다양한 매력을 갖고 있는 처청^{車埕}과 대만 8경 중 하나로 꼽히는 호수인 일월담^{日月潭}까지. 타이중에서 환승 없이 간편하게 만나볼 수 있는 소도시들은 타이중을 찾는 여행자들에게 또 다른 매력의 대만을 선사할 것이다.

타 이 중
여 행 에
꼭필요한
I N F O

한국인 입맛에 딱!
대만에서 맛있게 먹을 수 있는 현지 음식 BEST5

먹거리의 천국이라고 불리는 대만! 대만과 한국은 동북아시아라는 같은 문화권에 속해있기에 익숙한 음식도 많고, 입맛에 꼭 맞는 것도 많다. 그러나 예상치 못한 향신료 맛에 한 숟갈도 뜨지 못하게 되는 음식도 있을 터. 다행히도 대만에서 쉽게 접할 수 있는 음식 중에는 미간을 찌푸리게 되는 향신료 맛이 크게 없는 것들도 있다. 그 중 한국인 입맛에도 충분히 맛있을 음식 BEST5를 꼽아봤다.

우육면(牛肉麵)

타이중臺中을 포함한 대만 전역에는 우육면 식당이 많다. 우육면만 먹고 사는 게 아닐까 싶을 정도로 대만인들의 소울푸드soul food인 우육면의 종류는 3가지로 나뉜다. 맑은 고기 육수 국물의 칭뚠清燉, 대체로 농심 육개장 컵라면 정도의 매콤한 맛이 나는 빨간 국물 홍샤오紅燒, 국물이 없이 비벼 먹는 우육반면牛肉伴麵이 그 세 가지다.

칭뚠

식당마다 우육면에 들어가는 면의 굵기가 다르고, 때로 면을 고를 수 있는 식당도 있지만 대체로 칼국수면 이상으로 굵은 편이다. 우육면은 맑은 국물, 빨간 국물, 그리고 국물 없는 것까지 향신료 맛이 크게 나지 않아 한국인도 편하게 즐길 수 있다.

홍샤오

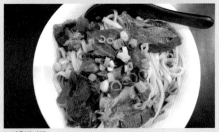
뉴러우반미엔

딤섬(點心)

한국인에게 만두로 알려진 딤섬! 영어로는 덤플링dumpling이라고 부른다. 딤섬 안에 들어가는 재료로는 돼지고기·양고기·소고기 같은 고기류, 랍스타·전복·가리비·새우 같은 해산물류, 버섯류, 야채류, 단맛이 나는 크림, 과일 등이 있다. 딤섬은 하나의 재료만 들어가는 것도 있고 두세 개씩 섞어 만들기도 하는 등 다양한 종

류가 있다. 한국인에게 가장 유명한 딤섬은 샤오롱바오^{小笼包}로, 만두피 안에 따뜻한 육즙이 가득한 것이 특징이다. 딤섬은 만두에 익숙한 한국인도 쉽게 먹을 수 있으므로 대만 여행 시 맛있게 먹을 수 있는 음식으로 추천한다.

훠궈(火锅)

한국에는 몇 년 전부터 훠궈 열풍이 불어 닥쳤다. 처음엔 몇몇 사람들의 입소문만 타던 훠거는 이제 시내 번화가가 아닌 동네에서도 쉽게 찾을 수 있는 음식이 됐다. 훠궈는 한국의 샤브샤브처럼 미리 조리된 육수에 고기와 야채, 해산물 등을 넣어 먹는 음식이다.

육수는 매운맛의 빨간 육수인 마라^{麻辣}와 담백한 맛의 맑은 육수인 칭탕^{清汤}, 그리고 깔끔한 크림맛의 우유 훠궈 니우나이^{牛奶}가 있다. 특히 마라는 한자로 저릴 미^麻, 매울 랄^辣을 써 혀가 마비될 정도로 맵고 얼얼한 맛을 의미한다. 한국처럼 맛있는 매운맛이 아니라 자극적이고 얼얼하며 톡 쏘는 매운 맛이 나기 때문에 호불호가 다소 갈린다. 훠궈는 한 육수만 주문해 먹어볼수도 있지만, 우리나라처럼 육수를 반씩 나눠 담아 먹을 수 있는 반반탕인 위안양^{鴛鴦}도 있다. 한 육수만 먹기는 아쉽고, 또 맛이 없을까 걱정된다면 반반탕을 골라 즐겨보자.

해산물

대만은 섬나라기 때문에 현지 음식점이나 야시장에서 해산물 요리를 쉽게 만날 수 있다. 대만에서 쉽게 접할 수 있는 해산물 종류는 새우, 굴, 오징어, 랍스터, 소라 등이 있다. 우리나라와 똑같이 볶음밥, 구이, 꼬치, 튀김 등으로 요리해먹기 때문에 거부감 없이 맛있게 먹을 수 있을 것이다.

빙수류

대만은 날씨가 덥기 때문에 빙수 음식이 발달했다. 대만을 여행하다보면 여러 곳의 빙수 가게를 쉽게 만날 수 있다. 대만에서 만날 수 있는 빙수 종류는 크게 두 가지다. 첫 번째는 달달한 살얼음에 삶은 땅콩과 연두부, 팥 등을 베이스로 다양한 떡과 과일 등을 넣어먹는 두화^{豆花}라는 전통 빙수이며, 두번째는 한국처럼 간 얼음이나 눈꽃 얼음에 각종 과일과 시럽을 넣어 먹는 현대 방식의 빙수다. 두 종류의 빙수 모두 각각의 매력이 있으므로, 대만을 여행하며 더위에 지쳤을 때 문을 열고 들어가 보자.

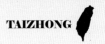

알·쓸·딤·잡(알아두면 쓸데있는 딤섬에 대한 잡학사전)

딤섬은 한국 사람들에게 미지의 음식은 아니지만 어떤 사람에게는 꽤 멀고, 또 어떤 사람에게는 꽤 가깝다. 딤섬을 먹어보았고 알고 있는 사람이라면 알쓸딤잡으로 더 풍부한 딤섬의 정보를 얻고, 딤섬을 먹어보지 못했고 잘 알지 못하는 사람은 딤섬에 대한 개념을 잡고 대만 여행을 떠나보자.

딤섬의 진짜 정체
한국 사람들에게 익숙한 춘권. 그런데 춘권도 딤섬이라는 것을 알고 있는가? 많은 한국 사람들이 딤섬을 만두로 알고 있는 것과 다르게, 사실 딤섬은 만두를 부르는 단어가 아니다. 딤섬이라는 단어 자체는 중국 광동 지역에서 디엔신點心을 발음하는 사투리다. 디엔신은 중국어로 간식과 같은 가벼운 음식을 부르는 통칭이다. 한국으로 예를 들자면 떡볶이나 어묵, 호떡, 붕어빵 등을 길거리 간식으로 말하는 것과 같다. 딤섬은 특정 음식을 부르는 단어가 아닌 음식의 범주를 지칭하는 단어인 것이다.

많은 한국 사람들이 딤섬을 만두로 받아들이게 된 어원은 특별히 밝혀지진 않았다. 아무래도 딤섬의 종류 중 한국 사람들에게 가장 유명하고 익숙한 것이 만두류이기 때문이 아닐까.

딤섬의 역사

딤섬을 만들어낸 곳은 중국이다. 그러나 딤섬을 세상에 널리 퍼뜨려 즐기게 만든 일등 공신은 홍콩이다. 홍콩은 과거 영국의 식민지였던 때부터 외국과의 무역을 시작했으나, 국토가 좁은 지리적 특성 때문에 외국과의 중계 무역으로 경제를 운용할 수밖에 없었다. 타의반, 자의반으로 경제 성장을 하던 홍콩이 아시아 금융의 허브가 되자 세계 여러 나라의 사람들이 홍콩에 모여들기 시작했고, 홍콩 음식의 큰 부분을 차지하던 딤섬 또한 자연스럽게 세계에 퍼졌다.

딤섬의 종류

딤섬은 찜, 볶음, 튀김 등 다양한 방식으로 요리하며 재료 또한 야채, 고기, 해산물 등을 모두 사용한다. 종류를 세어보자 한다면 수천개에 이르기 때문에 일일이 설명할 수 없을 정도다. 대신 한국 사람들이 쉽고 맛있게 먹는 딤섬은 정해져있어 크게 3가지 종류를 소개한다.

가우(餃)

피가 얇고 투명한 편으로 대체로 아담하거나 작은 사이즈다. 안에 어떤 재료가 들어있는지 보이는 것이 특징이다. 한국 사람들은 새우가 들어있는 하가우蝦餃를 선호한다. 특히 하가우는 12개 이상으로 주름을 잡아 머리빗 모양으로 빚어야한다고 알려져 있으므로, 주문 시 확인해보는 것도 작은 묘미가 될 것이다.

바우(包)

우리나라의 찐빵처럼 속이 꽉 차있고 두꺼운 찐빵류, 살짝 두툼한 피에 여러 가지 재료를 넣어 만드는 만두류로 나뉜다. 한국 사람들은 전자의 종류에서는 바비큐한 돼지고기를 넣은 차슈바오叉燒包를 선호하는 편이며, 후자의 종류에서는 육즙이 가득한 돼지고기 만두인 샤오롱小籠包 바오를 제일 좋아한다.

마이(賣)

크게 얇지도 크게 두껍지도 않은 피를 사용한다. 윗부분까지 피를 감싸지 않는 특징이 있으므로 속 재료를 쉽게 확인할 수 있으며, 사진을 찍기에도 좋다.

한국 사람들은 돼지고기와 새우를 넣어 만든 샤오마이燒賣를 가장 좋아한다.

타이중에서 만날 수 있는 딤섬 전문점 양대 산맥

딘타이펑

세계적으로 유명한 딤섬 맛집이라는 이름을 붙여도 아깝지 않은 딤섬 전문점이다. 한국에도 분점을 낸 딤섬 전문점으로, 본점은 타이베이에 있다. 타이중(臺中) 지점은 탑시티 백화점(top city) 지하 2층에 위치해있으며, 식사시간이 아닌 때에도 사람들로 붐빈다. 평일 주말 할 것 없이 식사시간 때에 대기 없이 방문하고 싶다면 예약이 필수다.

팀호완

딘타이펑 다음으로 인기 있는 딤섬 전문점으로 본점은 홍콩에 위치해있다. 타이중(臺中) 지점은 타이중 딘타이펑과 똑같이 탑시티 백화점(top city) 지하 2층에 있다. 팀호완은 딘타이펑에 비해 대기가 많지 않고 새우가 들어간 딤섬이 맛있는 곳이다. 한국 사람들이 좋아하는 샤오롱바오(小籠包)가 없다는 것이 단점이지만, 굳이 샤오롱바오를 먹을 이유가 없거나 새우를 좋아한다면 팀호완을 방문하는 것도 좋다.

입에서 살살 녹아요, 대만에서 만나는 열대 과일

열대 과일을 하우스에서 재배할 수밖에 없는 한국. 신선하고 질 좋은 열대 과일을 먹고 싶어도 손 떨리는 가격에 내려놓았다면 이제 거침없이 손을 뻗자. 대만에서 먹을 수 있는 열대 과일들은 첫째로 저렴하고, 둘째로 질도 좋은데다, 셋째로 입에서 살살 녹는 당도를 갖고 있다. 대만을 여행하며 1일 1과일을 무조건 실천하게 될 열대 과일에는 무엇이 있는지 살펴보자.

호불호 따위 없다. 반드시 먹어야 할 BEST 3

망고(芒果)

망고는 한국에서도 익숙한 과일이지만 생망고의 가격은 익숙해질 수가 없다. 하지만 망고는 대만을 대표하는 열대과일! 대만 여행에서만큼은 신선하고 당도 높은 생망고를 저렴한 가격에 맛볼 수 있다. 망고의 제철은 5월에서 10월, 대만이 더운 날을 자랑하는 시기다. 하지만 제철의 생망고가 선사하는 부드러운 과육과 새콤달콤한 단맛은 대만의 찌는 듯한 더위도 잠시 잊게 해줄 것이다. 대만의 망고는 우리나라의 사과처럼 종류가 많은데 가장 유명하고 맛있는 것은 노란망고와 애플망고다.

파인애플(鳳梨)

망고와 함께 대만을 대표하는 과일인 파
인애플! 망고와 다르게 일 년 사계절 언
제 방문해도 쉽게 먹을 수 있다. 생파인
애플이야 뭐 한국에서도 쉽게 먹을 수
있고 생망고보다 저렴한데 굳이 먹어야
하나 싶을 수 있다. 하지만 대만에서 먹
을 수 있는 생파인애플은 한국에서 먹는
생파인애플에 비해 몇 배는 더 달고 과
육 자체가 촉촉하다.

파인애플을 즐겨먹지 않았던 사람도 대
만에서 생파인애플을 먹은 후에는 파인
애플의 새로운 맛을 발견하게 될 것이다.

석가(釋迦)

망고, 파인애플과 다르게 겨울인 10월에
서 2월에만 먹을 수 있는 과일이다. 울퉁
불퉁한 모양이 석가의 머리모양과 닮았
다 해서 석가라는 이름이 붙여졌다. 석
가는 한국 사람들에게 익숙하지 않은 과
일로, 딱딱해 보이며 맛없어 보이는 외
관 덕분에 진입 장벽이 있다. 하지만 석
가는 한번 먹어본 사람은 그 맛을 잊지
못한다 할 정도로 설탕처럼 달다.

석가의 종류는 파인애플 석가와 일반 석
가가 있다. 일반 석가는 전체적으로 홍
시와 비슷하다. 딱딱해 보이는 외관에
비해 홍시처럼 손으로 부드럽게 쪼개지
고, 식감과 맛 자체도 홍시와 비슷하며 까만 씨가 있다. 파인애플 석가는 일반 석가보다 외
관의 울퉁불퉁함이 좀 덜하지만 안쪽은 단감과 같이 딱딱해 칼이 필요하다. 식감 또한 감
과 같으며 감처럼 까만 씨가 있다.

호불호가 많지만 한번쯤 경험해 볼만한 열대과일 3

구아바(芭樂)

아삭거리는 식감에 새콤달콤한 맛이 난다 싶은 정도의
맛을 가졌다. 겉은 옅은 연두색 외관이며 안쪽이 흰색
인 일반 구아바와, 복숭아 정도의 붉은색을 나타내는
붉은 구아바 홍빠러^{紅芭樂}로 나뉜다.

맛은 비슷한 편이나 붉은 구아바가 조금 더 단편이다.
대만 사람들은 레몬즙, 매실가루, 감초가루를 뿌리거나
찍어먹는데 그렇게 먹는 편이 훨씬 좋다. 야시장이나
일반 노점상에서 구아바를 구매할 때 양념을 선택할 수
있다.

파파야(木瓜)

익지 않으면 연두색, 다 익으면 노란색으로 변한다. 안
쪽은 잘 익은 호박색으로, 호박처럼 안에 씨를 다 긁어
낸 후 껍질을 제외한 과육을 먹는다.

당도 높은 단맛보다는 부드러운 느낌의 단맛을 느낄 수
있다. 대만 사람들은 우유와 함께 갈아 더 부드럽게 마
실 수 있는 파파야 우유로 즐긴다.

용과(火龍果)

한국에서도 쉽게 접할 수 있는 용과는 외관이든 안쪽이
든 독특한 모양과 색을 갖고 있다. 본래는 선인장 열매
의 한 종류다. 수분이 촉촉하여 쉽게 베어물 수 있는 식
감을 가졌다. 키위처럼 까만색의 작은 씨가 셀 수 없이
많이 박혀있는 것이 특징인데, 맛 또한 덜 달고 덜 시큼
한 키위를 먹는 것 같다.

용과는 본래 황색, 적색, 백색의 3가지가 있으나 대만에
서는 하얀색의 바이로우^{白肉}와 짙은 자주빛의 홍로우^{紅肉}
를 접할 수 있다. 하얀색 용과보다는 붉은색의 용과가 조
금 더 단 편이다.

먹었다면 마실 차례! 대만의 마실 거리

먹거리 천국 대만으로 여행을 간다면 음료까지 섭렵해줘야 갔다왔다고 말 할 수 있다. 대만은 차와 과일을 재료로 하는 음료가 셀 수 없이 다양하며, 맛 또한 한국 사람들의 입맛에 익숙하거나 꼭 맞는 것도 많다. 카페, 편의점, 노점상, 야시장 할 것 없이 다양한 종류를 구경하고 맛보는 재미가 있는 대만의 음료에는 어떤것들이 있을지 살펴보자.

차(茶)

대만은 차茶로 유명한 나라다. 하지만 차에 특별한 취미가 없다면 대만의 다른 미식을 즐기기 바쁘거나, 날씨가 너무 덥기 때문에 뜨거운 차를 멀리하게 되는 경우가 많다. 편의점에서도 차 음료와 차가 섞인 음료를 많이 판매하고 있지만, 대부분 단맛이 더 강하게 나기 때문에 차를 마시기 위해 먹는 것으로는 추천하지 않는다.

꼭 전통적이거나 차를 전문적으로 취급하는 다실이 아니어도 된다. 곳곳에 있는 카페에서도 다양한 차를 판매하고 있으며, 충분히 맛있는 차를 즐길 수 있다. 대만 현지에서 맛있는 차를 한번 마시고 나면 대만 사람들이 왜 더운 날씨에 뜨거운 차를 마시는지 이해가 될 것이다. 특히 대만은 우롱차가 제일 유명하고 맛있다. 현지에서 마셔보지 못한다면 사오기를 추천한다.

과일 주스

대만에서 가장 쉽게 만날 수 있는 과일 주스! 재료로 들어가는 과일 또한 셀 수 없이 다양하다. 한국 사람들에게 익숙한 수박, 망고, 파인애플 등부터 시작해 라임, 사탕주스, 깔라만시, 파파야 등 멀고도 가까운 과일도 많다. 과일주스는 대만을 여행하는 동안 언제 어디서나 저렴한 가격으로 먹을 수 있다. 돈 걱정과 맛 걱정은 제쳐두고 일단 사 먹어보자. 자신만의 인생 주스를 어디서 어떻게 발견할지 모른다.

소금 커피(海巖咖啡)

배운 사람이라면 단 음식을 먹은 후 짠 음식을
먹어야하는 법. '85도씨'라는 대만의 프랜차이
즈 커피 브랜드에서는 단짠단짠의 완벽한 조합
을 자랑하는 소금커피를 판매한다. 물론 소금
커피는 한국에서 익숙한 음식이 아니기 때문에
다소 거부감이 들 수 있다. 하지만 소금커피의
소금은 거품에 뿌려지는 방식이라 짠 맛은 아
주 잠깐씩 스쳐지나갈 뿐, 커피 맛이 더 많이
나기 때문에 걱정하지 않아도 된다. 소금커피

는 아예 안 먹어본 사람은 있어도 한번만 먹어본 사람은 없다고 한다. 대만으로 여행간 당
신, 이제 앞 문장의 후자가 되어보자.

버블티(珍珠奶茶)

버블티를 만들어낸 나라 대만! 대만의 음료 전
문점 어디에서나 버블티를 만나볼 수 있으며,
다양한 버블티 체인점도 여기저기 널려있기 때
문에 먹고 싶을 때 언제든 먹을 수 있다. 한국
사람들이 좋아하는 메뉴로는 가장 기본적인 쩐
쭈나이차와 최근 한국에서도 대란을 일으키고
있는 흑당 버블티가 있다.

루트 비어(Root beer)

비어라는 말이 들어가 맥주라고 생각할 수도 있다. 그런데 루트 비
어는 이름에만 비어가 들어갈 뿐, 알코올 성분이 없는 탄산음료다.
루트 비어는 사르사파릴라Sarsaparilla(사르사 덩굴, 야생 약용 식물의
일종) 또는 새서프라스Sassafras (미국산 녹나무과의 나무)의 뿌리나 껍
질을 넣고 만든 북미권의 탄산음료다. 사실 맛에 대한 호불호는 굉
장히 갈린다. 물파스 맛이 나는 콜라라고 생각하면 된다. 약간 박카
스 같은 느낌도 나 몸에 좋은 탄산음료를 먹는 것 같기도 한데, 한번
쯤 경험해볼만한 맛이다. 대만에서는 헤이송사스(黑松沙士)라는 제
품이 제일 유명하고 찾기도 쉽다.

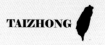

놓치지 않을 거예요, 버블티에 대한 모든 것!

버블티? 밀크티? 쩐쭈나이차?

먼저 쩐쭈나이차의 의미를 해부해보자. 쩐쭈^{珍珠}는 검은색의 타피오카 알갱이이며, 나이^奶는 우유, 차^茶는 우리가 아는 차^{tea}다. 나이차^{奶茶}는 우유와 홍차가 섞인 밀크티를 말한다. 이를 모두 합친 쩐쭈나이차^{珍珠奶茶}는 버블이 들어간 밀크티인 버블 밀크티인 것이다. 버블티는 본래 차를 베이스로한 음료에 버블을 추가한 음료를 이르는 말이지만, 보통 한국 사람들은 버블밀크티를 버블티로 부른다.

> **타피오카**
> 카사바(Cassava)라는 뿌리 식물을 가공하여 얻을 수 있는 전분. 쫄깃하고 부드러운 식감으로 대만에서는 음료와 빙수에 넣어먹는다. 한국 사람들 중 좋아하는 사람은 매우 좋아하지만 싫어하는 사람은 아예 먹지 않을 정도로 호불호가 크다.

중국어를 몰라도 주문할 수 있는 버블티 주문법
시내 번화가 및 관광지에서는 영어 메뉴가 있는 편이다. 하지만 관광객이 많이 없는 소도시나 현지인 맛집에는 영어조차 없을 때가 있다. 또 버블티 가게의 경우 주문법을 그림으로 설명해놓는 곳이 많지만, 때로는 그림이 없는 곳을 방문하게 될 수도 있다.
대만을 여행하며 중국어밖에 없는 버블티 가게를 가게 되면 어쩌나 걱정될 수 있다. 하지만 주문하고자 하는 용기만 있다면 중국어를 몰라 버블티를 먹지 못하는 일은 없다. 아래의 주문법을 읽고 팁을 기억해둔다면 맛있고 시원한 버블티를 먹을 수 있을 것이다.

1. 어떤 음료를 먹을지 메뉴를 고른다.
먼저 "니하오^{你好}"하며 인사부터 한 후 쩐쭈나이차를 말하자. 사실 성조 때문에 한번에 알아듣지 못할 확률이 높다. 기본적으로 두세번은 말해줘야 알아듣는 편인데, 그 이상으로 알아듣지 못하면 메뉴판의 珍珠奶茶의 한자를 찾아 짚어주자.

2. 음료의 크기와 ICE/HOT을 고른다.
사이즈는 대체로 M과 L사이즈만 있다. M사이즈는 쫑뻬이^{中杯}, L사이즈는 따뻬이^{大杯}이며 ICE는 뼁더^{冰的}, HOT는 러더^{熱的}다. 보통 버블티 전문점에서 일하는 직원들의 연령층이 젊기 때문에 M 사이즈, L 사이즈, 아이스, 핫 정도의 영어는 알아듣는 편이다. 일단 영어로 말해본 뒤 통하지 않는다면 쫑뻬이/따뻬이 중 원하는 사이즈를 말하고, 뼁더/러더 중 원하는 음료의 상태를 말하자. 만약 중국어가 생각나지 않는다면 메뉴판에서 중^中, 대^大를 짚어 사이즈를 알려주고 러^熱(더울 열), 삥^冰(얼음 빙)을 짚어 음료의 원하는 상태를 알려주자.

3. 당도와 얼음의 양을 고른다.

2번까지 주문을 완료했다면 직원이 "티엔뚜삥콰이너^{甜度冰塊呢}"라고 물어본다. 당도와 얼음 양은 어떻게 할 것인지 물어보는 것이다. 적당히 달달하고 시원하게 먹으려면 당도와 얼음이 50% 정도인 빤탕샤오삥^{半糖少冰}을 외워두자. 본인이 원하는 당도와 얼음양이 정확하게 있다면 메뉴판에서 얼음의 그림이나 퍼센트, 당도의 퍼센트를 골라 짚어주면 된다.

만약 그림이나 숫자가 없고 중국어밖에 보이지 않는다면 분^分을 찾자. 분은 퍼센트를 말하며 보통 당도를 표시할 때 쓴다. 9(九)分이면 당도가 90%, 7(七)分이면 당도가 70%인 것이다. 그리고 당도 표기의 위아래는 반드시 얼음양이 있다. 얼음양을 말하는 正常冰, 少冰은 한국사람에게 먼 한자어가 아니므로 쉽게 찾을 수 있고, 또 한국 사람들이 많이 선택하는 양이다. 본인이 원하는 당도와 얼음양을 찾아 짚어주면 주문은 끝난다. 주문받느라 고생한 직원에게 쎄쎄^{謝謝}하고 인사하는 것도 잊지 말자.

– 한국은 아이스 음료의 60%~80%를 얼음으로 채워주지만, 대만의 얼음양은 100%를 골라도 음료 컵의 30%가 채워질락 말락한 정도다.
– 이따금 흑당버블티를 주문할 때 왜 당도와 얼음 선택을 하지 않는지 당황스러워질 수도 있다. 하지만 흑당 버블티의 경우 당도 조절 선택이 없고 고정된 경우가 대부분이다.

당도	당도
100% 쩡창티엔(正常甜) or 췐탕(全糖)	100%(30%) 쩡창빙(正常冰)
0% 부야오타이티엔(不要太甜)	50%~80%(20%) 샤오빙(少冰)
70% 샤오탕(少糖)	
50% 빤탕(半糖)	30%(5%) 웨이빙(微冰)
30% 웨이탕(微糖)	
0% 우탕(無糖)	0% 취빙(去冰)

4. 번호표를 받고 앞에서 기다린다.

번호를 알아듣지 못해도 상관없다. 음료가 나올 때마다 직원을 주시하자. 직원이 두어 번 무어라 말해도 아무도 다가가지 않는다면 당신의 것일 확률이 높다. 그 때 번호표를 보여주면 된다. 맞으면 당신에게 주고, 아니라면 주지 않을 것이다.

5. 포장 유무를 선택한다.

직원은 마지막으로 "니야오 따이즈마^{你要袋子嗎}"라고 묻는다. 버블티를 담아갈 봉투가 필요하냐는 질문인데 필요하다면 "야오^要", 필요가 없다면 "부야오^{不要}"라고 말하면 된다.

타이중에서 쉽게 만나는 버블티 체인점 3

대만에는 유명한 버블티 체인점이 굉장히 많다. 한국 사람들에게 잘 알려진 대만 현지 버블티 체인점에는 코코, 우스란^{50嵐}, 춘수당이 있다. 하지만 타이중^{臺中}에는 코코 지점은 없고, 우스란이나 춘수당은 쉽게 찾아볼 수 있다. 더운 날씨 속에서 대만을 여행하며 쉽게 찾아볼 수 있는 버블티 체인점 3군데는 무엇인지 살펴보자.

우스란(50嵐)

대만 전역에서 발에 채일 정도로 많은 버블티 체인점이다. 대만의 20대 젊은이들에게 가장 인기 있는 곳이다. 우스란은 타피오카 버블이 두 개인데 우리가 아는 일반적인 크기의 쩐쭈와, 개구리 알처럼 작은 쩐쭈가 있다.
우스란에서 주문 시 가장 주의해야 할 것은, 다른 곳에서 주문하는 것처럼 쩐쭈나이차를 달라고 하면 개구리 알 쩐쭈 밀크티를 받게 된다. 일반적인 쩐쭈가 들어간 밀크티를 먹고 싶다면 뽀빠나이챠^{波霸奶茶}라고 주문해야한다.

밀크샵(Milk shop/迷客夏)

대만 현지인들도 줄 서서 먹을 정도로 요즘 핫한 음료 전문점이다. 한국 사람들에게는 〈짠내투어〉 대만 편에 방영돼 알려졌지만, 다른 버블티 전문점에 비해 한국 사람들에게 많이 알려지지 않은 편이다.

매일 직영 농장에서 신선한 우유를 배달받아 사용하는 곳으로 좀 더 고급진 우유맛의 밀크티를 즐길 수 있다. 또 다른 특징으로는 타피오카 펄이 검은색이 아니라 하얀색이며, 꿀을 넣어 만들었기 때문에 달달하게 즐길 수 있다.

청심복전(淸心福全)

대만의 버블티 체인점 중 마케팅에 가장 힘쓰는 곳이다. 분기별로 다양한 캐릭터와 콜라보를 진행하기 때문에 컵의 패키지가 자주 바뀐다.

홍보뿐만 아니라 맛 또한 좋은 버블티 전문점으로 현지인들도 좋아한다. 특히 우롱녹차烏龍綠茶와 요구르트녹차优多绿茶가 유명한 곳으로 녹차가 맛있는 버블티 전문점이다. 청심복전에 방문을 했다면 꼭 녹차가 들어간 음료를 마셔보자.

한국인들이 좋아하는 타이중 3대 버블티 맛집

행복당(幸福堂)

현재 대만 버블티 프랜차이즈 중 가장 활발한 마케
팅 및 홍보를 이어가는 곳이다. 맛 또한 홍보에 버금
가기 때문에 현지인들도 좋아한다. 흑당 버블티가 가
장 인기 있는 메뉴이며, 일명 젤리사이다 라고 불리
는 푸른색의 음료는 색깔도 예쁘고 반짝거리는데다
분홍색의 커다란 젤리가 들어가 사진 찍기에 좋다.
음료 자체는 사이다 맛이라 마시기엔 괜찮지만, 안에
들어가는 젤리는 호불호가 갈린다. 베이구北區의 일중가一中街에 지점이 있다.

타이거슈가(老虎堂)

흑당밀크티를 처음으로 만들어낸 원조 가게다. 흑설
탕 시럽이 밀크티에 녹아내리는 모습이 호랑이 무늬
같아 타이거슈가라는 이름이 붙여졌다. 메뉴판에도,
주문 시에도 안내하지만 15번 정도 흔든 후 먹어야
흑설탕과 밀크티가 고르게 섞인다. 현지인들에게는
인기가 조금씩 사그러드는 중이지만 관광객에겐 여
전히 인기가 좋다. 행복당과 마찬가지로 일중가一中街와 펑지아 야시장逢甲夜市에 지점이 있는
데 일중가 지점은 타이거 슈가 본점이다.

춘수당(春水堂)

대만에서 버블티를 처음으로 내놓은 원조로 불리는
곳인데, 음료 전문점이 아니라 대만의 다양한 현지
음식을 함께 내놓는 식당이다. 음식의 맛 또한 떨어
지지 않기 때문에 식사와 함께 버블티를 함께 즐기
기 좋다. 타이중臺中에서는 시내 곳곳에 지점이 널려
있어 어느 곳에 가도 상관없지만, 춘수당 1호 본점이
시구西區에 위치해있어 본점에 방문해보려는 사람이 많다. 이곳의 버블은 작은 개구리 알
같은 버블인데, 매장에서 먹으면 모양을 볼 수 있지만 테이크아웃은 파란색 용기에 담아주
기 때문에 볼 수 없다.

더운 날씨를 시원하게 날려줄 대만의 맥주

애주가들에게는 미안하지만 솔직한 이야기를 먼저 전하겠다. 대만은 맥주가 맛있기로 유명한 나라는 아니다. 대만 맥주는 대체로 밍밍한 맛으로, 혹시 탄산수인가 싶은 정도의 맛이 나는 맥주가 많다. 맥주 맛이 난다 싶으면 딱 우리나라 맥주 정도의 맛이기 때문에 유럽 맥주를 기대하면 절대 안 된다.

하지만 대만에서 혹시 모를 인생 맥주를 찾을 수 있지 않을까 싶어 하는 여행자를 위해, 그래도 대만에 왔으니 대만의 현지 맥주를 먹어보고 싶은 여행자를 위해 타이완 비어 브랜드에서 나오는 맥주 중 한국 사람들이 가장 마실 만 하다고 호평하는 것들을 소개한다.

(대만의 맥주는 2002년까지 TTL(Taiwan Tobacco and Liquor Corporation)이라는 공기업이 독점 생산했기 때문에 TTL에서 나오는 타이완 비어가 대부분이다.)

한국 사람들이 좋아하는 타이완 비어 BEST 3

ONLY 18DAYS

타이완 비어 브랜드에서 가장 불호 없이 호평 받는 맥주다(어디까지나 대만 맥주 중에 가장 괜찮은 것임을 잊지 않기를 바란다). 알콜도수는 5%이며, 캔에 쓰인 18day라는 말처럼 유통기한이 18일이기 때문에 판매 자체가 빠른 편이다. 찾지 않을 때는 보이고, 찾을 때는 보이지 않는 맥주이기 때문에 눈에 보였을 때 먹는 것이 가장 좋다.

프리미엄

타이완 비어 브랜드에서 나오는 맥주 중 ONLY 18DAYS와 함께 한국인들의 선호 1,2위를 다투는 맥주다. 알콜도수는 ONLY 18DAYS와 똑같은 5%다. 프리미엄이라는 이름값을 한다고 할 정도의 평을 듣긴 하지만 어디까지나 대만 맥주 기준이다.

과일맥주

타이완 비어 브랜드에서 나오는 과일맥주다. 우리나라의 과일 소주류처럼 과일 맥주긴 하지만 알콜도수가 2.8%이라 과일 맛이 더 많이 난다. 망고 맛이 제일 호평이며 파인애플, 포도도 맛있는 편이다.

호불호 갈리는 타이완 비어 3종

클래식

대만에서 처음 만들어진 맥주다. 공식적으로는 1919년부터 만들어져 100년의 역사를 가뿐히 넘긴 맥주다. 알콜 도수는 4.5%이며, 대만에서 가장 쉽게 찾아볼 수 있는 맥주다. 다른 타이완 비어에 비해서 조금 더 쓴맛이 나는 편이다.

골드메달

클래식과 함께 대만 어디에서나 쉽게 볼 수 있는 기본 맥주다. 알콜도수는 5%이며, 병맥주 캔맥주 할 것 없이 대만스러운 느낌이 잘 나타나 사진 찍기에도 좋은 편이다. 첫맛은 맥주맛이 나지만 갈수록 밍밍해져 빠른 시간 안에 시원하게 들이키기에 좋다.

허니비어

일명 꿀맥주다. 알콜 도수는 4.5%이며 맥주 맛 자체는 편의점 꿀물의 맛인데 다소 인위적인 맛과 향이 난다. 타이완 비어 중에서 좋아하는 사람은 정말 좋아하고, 싫어하는 사람은 정말 싫어하는 최고의 호불호가 갈리는 맥주.

대만 여행의 꽃, 타이중의 야시장

대만으로 여행 갔을 때 야시장을 가보지 않은 사람은 없을 정도로 대만 여행의 필수 코스인 야시장! 야시장은 여러 가지 고기류와 해산물, 간식거리 등 다양한 먹을 것은 물론, 간단한 게임 같은 놀 거리, 의류와 생활용품 및 기념품 등 볼 거리와 살거리를 총망라한 곳이다. 꼭 무언가를 먹거나 사지 않고 구경만 해도 즐거운 타이중臺中의 야시장에는 어떤 곳, 어떤 것이 있을지 살펴보자.

펑지아 야시장(逢甲夜市)

시툰구西屯區에 위치한 펑지아 대학교 인근으로 형성된 관광야시장으로, 타이중臺中에서 가장 유명하고 인기 있는 야시장이며 규모 또한 크고 넓다. 노점상보다는 건물형 식당이 대부분이며, 동서양을 막론한 다양한 먹을거리와 대만 현지 음식 및 간식 판매점이 꽉꽉 들어차있다. 놀거리와 볼거리, 살거리 또한 넘쳐나기 때문에 시간 가는 줄 모르고 구경하게 된다.

일중가 야시장(一中街夜市)

10~20대 젊은이들에게 인기 있는 번화가인 베이구^{北區}의 일중가^{一中街}를 중심으로 형성된 야시장이다. 낮부터 운영하는 곳이 많으며 펑지아 야시장과 똑같이 노점상보다는 건물형 식당이 많고, 대만 현지 음식 및 간식 판매점도 있지만 젊은이들이 선호하는 동서양의 현대적인 먹을거리와 음식점이 조금 더 많은 편이다. 놀거리와 볼거리 및 살거리가 적절하게 섞여있어 대체적으로 펑지아 야시장과 비슷하지만, 규모나 크기면에서는 좀 더 작은 편이다.

충효 야시장(忠孝夜市)

타이중역 아래쪽에 위치한 야시장으로 관광객보다 현지인의 비중이 월등히 높은 현지 야시장이다. 넓은 대로를 가운데 두고 양쪽으로 대만 현지 음식 위주의 음식점과 노점이 들어서있으며, 낮부터 운영하는 곳도 많다. 현지인들이 저녁을 해결하거나 식사거리를 사가는 곳으로, 현지 느낌이 나지만 영어메뉴판이 없는 곳이 대부분이기 때문에 소통의 어려움은 감안하고 가야한다. 차량 통제가 되지 않는 야시장이기 때문에 통행에 주의해야한다.

한시 야시장(旱溪夜市)

진짜 현지 야시장 체험을 원한다면 둥구^{東區}에 위치한 한시야시장으로 향하자. 넓은 공터에 노점이 빼곡하게 들어서는 한시야시장은 규모는 크지 않지만 다양한 대만 현지 음식을 맛보고 즐길 수 있는 곳으로, 볼거리와 살거리, 놀거리가 충분해 현지인들이 사랑하는 야시장이다. 충효야시장과 마찬가지로 영어메뉴판이 없는 곳이 많기 때문에 소통의 어려움이 다소 있으며 화, 목, 금, 토에만 영업하므로 방문 시 요일에 유의해야한다.

동해대학 야시장(東海大學夜市)

시툰구^{西屯區} 서쪽에 위치한 동해대학교 인근에 있는 야시장이다. 밤에만 열리는 야시장이라기보다는 한국 대학가의 먹자골목처럼 노점상보다는 건물형 식당이 대부분이며, 대부분 낮부터 운영하기 때문에 꼭 밤에 방문할 필요는 없다. 20대 젊은이들에게 인기 있는 동서양의 다양한 먹을거리와 대만 현지 음식 및 간식 판매점이 늘어서 있으며 볼거리와 살거리, 놀거리도 충분히 있어 인근에 있을 때 방문해도 좋다.

한국 사람도 쉽게 먹을 수 있는 대만 야시장의 현지 먹거리

야시장은 본래 현지인들을 위한 곳. 야시장에서 만나는 음식들은 현지 입맛에 맞춰져있는 것이 대부분이다. 특히 향신료가 익숙하지 않은 한국인들은 냄새부터 막히는 경우가 많다. 아래에서 소개하는 현지 먹거리는 향신료의 부담이 없어 한국인들도 쉽게 먹을 수 있다. 하지만 가게마다 소량씩 첨가하는 곳도 있으므로 마음의 준비는 조금 해놓는 것이 좋다.

해산물류

대만은 사방으로 바다를 끼고 있는 나라답게 야시장 곳곳에서 해산물 요리를 만날 수 있다. 대만의 해산물 요리는 우리나라와 똑같은 방법으로 생(生)으로 먹거나 굽고, 찌고, 삶고, 튀긴 요리가 많기 때문에 쉽게 먹을 수 있다. 그 중에서도 구이류는 예상치 못한 향신료의 공격이 없는 메뉴기 때문에 한국 사람들도 안심하고 먹을 수 있다.

꼬치류

대만의 야시장에서는 보암직도 하고 먹음직도한데, 육해공을 가리지 않는 다양한 꼬치를 만날 수 있다. 꼬치류는 향신료의 습격은 적지만 예상치 못한 잡내에 공격당할 수 있다. 꼬치류를 구매할 때는 한 눈에 봐도 어떤 종류인지 판별할 수 있을 정도의 익숙한 꼬치를 선택하는 것이 혀에 안전하다.

튀김류

튀겨서 먹으면 신발도 맛있다는 말처
럼 대만의 야시장에서 만나는 튀김도
그렇다. 고기, 해산물, 야채 할 것 없
이 어떤 재료의 튀김을 먹어도 평균
이상의 맛을 자랑한다. 만약 어디서
튀어나올지 모를 향신료의 습격에 먹
을거리를 쉽게 사지 못하겠다면 오징
어튀김을 사먹자. 오징어튀김에도 미

미하게 향신료가 들어가는 곳이 많지만, 살짝 향이 느껴질 정도로만 적게 들어가기 때문에
먹는 데 큰 어려움이 없을 것이다.

과일류

향신료 걱정할 일이 없는 야시장 최
고의 먹거리다. 대만에서는 우리나라
에서도 쉽게 접할 수 있는 과일 뿐만
아니라, 살면서 단 한번도 보지 못한
형형색색의 열대과일을 먹어볼 수 있
다. 야시장에서는 온전한 형태의 판
매용 과일, 잘라서 담아놓은 생과일,
즉석에서 갈아주는 생과일주스가 있
다.

음료류

대만의 야시장에서는 다양한 과채음
료를 판매한다. 음료류 또한 과일류
처럼 향신료의 습격은 없지만 예상치
못한 맛없음은 있을 수 있다. 야시장
에서 안전하게 맛있는 음료를 먹고
싶다면 버블티나 파인애플, 오렌지,
라임 등의 생과일주스 등을 선택하는
것이 좋다.

여행에서 절대 빠질 수 없는 쇼핑! 대만 여행 쇼핑 리스트

여행을 떠났다면 마그넷 한 개라도 사와야 하는 것이 여행에 대한 예의. 쇼핑은 여행자에게도 필수 요소지만 내 선물은 없냐는 지인들의 입을 막기 위해서도 필요하다. 타이중에서는 무엇을 사야 할 지, 어디에서 쇼핑해야할 지 알아보자.

어머 이건 꼭 사야해! 종류별로 나눈 대만 여행 쇼핑 리스트
대만 여행 쇼핑리스트는 간식이나 음료같은 먹거리부터 생필품, 의약품까지 생각보다 많은 편이다. 사오면 후회하지 않을 종류별 쇼핑 리스트를 먼저 살펴보자.

음식 · 간식류

만한대찬(滿漢大餐)

대만의 우육면 컵라면이다. 한국 사람들에게는 Olive 〈원나잇푸드트립〉대만편에 방영되면서 유명해졌다. 가장 강조해둘 사항은 국내 반입 금지 품목이라는 것이다. 한국에 들고오고 싶을 정도로 맛있지만 도톰한 소고기가 들어간 양념 수프 덕분에 가져올 수 없다. 만한대찬은 컵라면과 봉지라면 둘 다 있으며 종류는 총 4가지다. 첫 번째로 기본 우육면인 보라색, 두 번째로 살짝 매콤한 우육면인 주황색, 세 번째는 살짝 매콤한 돈육면(돼지고기)인 초록색, 네 번째는 마라가 들어간 우육면인 빨간색이 있다. 향신료 맛과 향이 좀 나기 때문에 불호인 사람도 많지만, 한국 사람들은 보통 보라색이나 빨간색을 선호한다.

펑리수

대만을 다녀오지 않은 사람도 '대만 기념품' 하면 생각날 정도로 유명한 펑리수! 부드러운 버터향이 나는 쿠키 식감의 케이크 안에 새콤달콤한 파인애플 과육이 들어가 있다. 관광객에게만 한정된 과자가 아니라 대만 현지인들도 매우 좋아하며, 선물용으로 많이 주고 받는다. 주의할 점은, 방부제나 첨가제를 넣지 않는 경우가 많아 유통기한이 1달 전후로 짧은 편이다. 구매 시 유통기한을 확인하며 사는 것이 좋다. 타이중에서 살 수 있는 고급 펑리수 브랜드는 일출日出이 있으며 군데군데 있는 지역 유명 제과점에서도 맛있는 펑리수를 판매한다.

누가크래커

펑리수와 함께 대만 기념품의 쌍벽을 이룬다. 누가크래 커는 쫄깃하고 달콤한 누가에 살짝 짠 맛의 야채크래커 를 겹친 과자다. 특별하게 맛있는 맛은 아니지만 단짠의 완벽한 조화 덕분에 손이 계속 간다. 타이중에서 한국인 들에게 유명한 누가 크래커 가게는 시구西區에 위치한 채 당효선병포采棠肴鮮餅舖가 있다.

젤리류

대만에는 한국인 입맛에 맞는 다양한 젤리가 많다. 하지만 위탁수하물로 짐을 보내지 않는 여행자는 주의할 점이 있다. 원칙적으로, 젤리류는 액체류로 분류돼 지퍼백에 담지 않으면 기내에 반입할 수 없다. 젤리류를 구매할 계획이 있다면 지퍼백을 충분히 챙겨가자. 단, 면 세점에서 구매한 젤리는 지퍼백에 담지 않아도 기내에 반입할 수 있다. 항공사마다 소지할 수 있는 용량이 제한되므로 사전에 알아보고 가자.

▶유키앤러브

한국 사람들이 가장 좋아하고 제일 많이 구매하는 젤리 다. 저렴한 가격에 크기도 꽤 크다. 망고젤리가 제일 인 기있지만 리치맛도 많이 사가는 편이다. 젤리를 감싼 포 장이 생각보다 고급스러워보여 선물용으로도 좋다.

▶닥터큐

작은 파우치형의 젤리로 칼로리가 낮은 편이다. 곤약 젤리기 때문에 부드럽고 쫄깃한 식감을 가졌으며, 과즙 함량도 22%로 꽤 높은 편이기 때문에 맛이 좋다. 망고, 딸기, 포도, 리치 등 기본적인 맛이 있으며 소금 레몬맛 도 상당히 괜찮다. 유키앤러브 망고젤리와 함께 캐리어 의 한부분을 가득 채워 사오는 사람들이 많다.

▶이메이 I MEI 구미 초코

초콜렛 안에 딸기, 포도, 망고 등 다양한 맛의 젤리가 들어있다. 상상도 가능한 맛이고, 먹어본 것도 같은 익 숙한 맛인데 이상하게 계속 손이 간다. 한국에서도 구 매할 수 있지만 잘 보이지 않고 맛도 다양하지 않은 편. 한국 여행객들에게 닥터큐와 함께 많이 사오지 않으면 후회하는 젤리로 꼽는다.

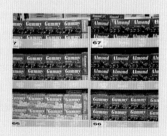

차·음료류

3시 15분 밀크티

대만을 가보지 않은 사람도 알고 있는
유명한 밀크티 티백! 뜨거운 물에 잠깐
만 담가두면 진하고 달콤한 맛의 대만
식 밀크티를 맛볼 수 있다. 한국에서도
구매할 수 있지만 대만 현지에서 구매
하는 것이 훨씬 더 저렴하다. 대만의
밀크티 맛이 그리울 때마다 한봉지씩
꺼내 대만 여행의 추억을 떠올려보자.

춘추이허(純萃喝 : 화장품통 밀크티)

외관이 화장품통처럼 생겨 화장품통
밀크티로 불린다. 2015년 GS25에서 첫
수입했던 당시 꽤 인기있었던 제품이
며, 최근 GS25에서 재출시했다. 대만
현지에서는 아직도 꾸준한 인기를 끌
고 있으며, 현지에서는 더 저렴하게 구
매할 수 있다. 밀크티류만 들어온 국내
와 달리 더 다양한 커피와 차 종류를
구매할 수 있다.

원지미(園之味)

대만에서는 수십가지의 다양한 주스류
를 만나볼 수 있다. 그 중 가장 맛있다
고 이야기 할 수 있는 원지미 주스는
천연 과즙만 100% 넣어 만든 주스로,
조금씩 씹히는 과육도 일품이다. 유럽
최대 과일 가공기업으로 유명한 프랑
스의 앤드로스Andros사에서 나오는
100% 천연 과즙 주스와 똑같은 맛을
자랑한다.

주류

주류는 젤리와 같은 액체류로 분류되기 때문에 100ml이상은 지퍼백에 담아 반입해야한다.
하지만 100㎖이상인 경우가 대부분이다. 주류를 한 캔, 한 병이라도 가져오고 싶다면 위탁
수하물로 가져오거나 면세점에서 구매하자.

과일맥주

타이완 비어의 과일맥주다. 한국 여행객들에게는 호불호
가 약간씩 갈리긴 하지만 대체로 좋은 평을 얻는다. 망고
맛이 가장 호평이고 인기가 많은 제품으로, 대만을 여행
하며 맛들린 여행자들은 몇 캔씩 구매해오는 편이다.

금문고량주

술 좋아하시는 어른들에게 선물하기 제일 좋은 술. 고량주의 주원료인 수수가
고품질로 생산되는 대만의 금문도라는 섬에서 만들어진다. 국영기업인 금문주
창에서 생산하고 있으며, 화학 첨가물을 전혀 사용하지 않고 수수, 밀, 화강암
암반수만을 재료로 빚는다.
다른 고량주에 비해 독한 향도 거의 없고, 목넘김은 뜨끈하고 깔끔하게 넘어
가 호평인 술이다. 종류 알콜 도수는 38도와 58도로 나눠지는데 한국 사람들
은 58도를 가장 많이 구매한다.

의약품 · 미용품

백화유

중화권에서 쉽게 구매할 수 있는 제품으로, 대만 쇼핑
리스트에 필수로 들어가있다. 기본적으로는 진통, 소
염 기능을 하지만, 만병통치약으로 불릴 정도로 다양
한 증상에 사용할 수 있다. 여행중의 대표적인 사용
방법은 모기에 물렸을 때 바르기, 근육통이나 걸리는
곳에 마사지해주기, 두통 시에 관자놀이에 발라주기,
샴푸에 한방울 섞어 머리 감기 등이 있다.

호랑이 연고(타이거밤)

어렸을 적부터 집에 한 개씩은 상비하고 있을 정도로 한국에서도 유명한 호랑이연고. 한국
사람들에게는 하얀색이 익숙하지만 본래 빨간색 연고가 오리지날 버전이다. 두 종류 모두

기본적으로 소염, 진통제 효능이 있는데 빨간색에는 계피 기름이 추가돼있어서 향도 더 강하고 더 후끈한 느낌이 있다. 하얀색은 모기물린데, 가려움, 타박상, 코막힘, 멀미, 소화 등에 좋고, 빨간색은 결림이나 근육통, 관절통에 좋다. 임산부와 만 3세 미만의 유아에게는 사용을 권장하지 않으며 눈에서 먼 곳에 바르는게 좋다. 알러지 유발 성분은 아래를 참고할 것.

주요성분

캄퍼(Camphor)	녹나무 추출물로 시원한 느낌을 준다. 리스테린, 물파스, 우황청심원에도 들어감
멘톨(Menthol)	박하추출물로 시원한 느낌을 주며 소염, 진통작용
정향(Clove)	정향나무의 꽃봉오리에서 추출한 향신료. 진통 효과와 신경마비, 항균효과
카유풋(Cajuput)	남아에서 자생하는 멜라루카 잎에서 추출, 진통 및 항균에 효능
계피(Cinnamon)	빨간색 연고에만 들어간다. 외용제로 사용하면 진통 및 살균효
살리실산(Salicylic acid)	버드나무 껍질에서 추출하는 아스피린(aspirin)의 원료. 해열 및 진통에 효과
파라핀(paraffin)	콜라겐과 비타인E가 들어있어 피부 보습에 효과

> 호랑이 연고에 대한 진짜 알쓸신잡(알아두면 쓸데없는 신비한 잡학사전)
>
> 싱가포르의 호파(Haw Par : 虎豹医保有限公司)라는 제약회사에서 만들었다. 1870년대에 개발돼 약 150년의 역사를 갖고 있다. 옛날 약장수들이 백두산 호랑이뼈를 갈아넣은 만병통치약으로 소개했으나 사실 호랑이와 관련된 성분은 없다. 개발은 후쯔친(胡子钦)이 성공했으며, 아들인 후원후(胡文虎)와 후원바오(胡文豹) 형제가 본인들의 이름 마지막 글자를 딴 후바오항(虎彪行)이라는 제약 회사를 만들고 호표만금유(虎標萬金油)라는 이름으로 판매했다. 호표虎標는 호랑이표, 만금유(萬金油)는 만금의 값어치를 하는 기름이라는 뜻이다.

마이뷰티다이어리 흑진주팩

대만을 넘어 중화권의 마스크팩 1위를 차지한 제품이다. 에센스가 넘치게 들어있으며 피부재생, 수분공급, 미백 등 다양한 효능이 있다. 시트기 얇기 때문에 필름이 덧대어져 있으므로 필름을 떼고 붙여야한다. 마스크팩은 젖은 티슈로, 원칙적으로 액체류로 분류되기 때문에 기내 반입시는 지퍼백에 넣거나 위탁수화물로 보내야한다.

생필품

달리치약

중화권에서 미백 치약으로 유명해 중화권 쇼핑 리스트에 꼭 들어가있는 달리 치약. 맵지 않은 상쾌함이 좋아 인기있는 제품이다. 치약 또한 원칙적으로 액체류로 분류된다. 기내 반입 시 지퍼백에 넣거나 위탁수화물로 보내야한다.

곰돌이방향제

곰돌이 방향제 또한 중화권 쇼핑 리스트에 들어가있는 유명한 방향제. 귀여운 외관과 달리 생각보다 강력한 방향을 자랑하지만, 유지는 다소 짧다. 6가지의 다양한 향이 있는데 포장지에서도 향을 맡을 수 있으므로 취향에 맞는 향을 골라 구매하자.

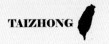

타이중의 쇼핑 포인트 BEST 5

타로코 몰 / 까르푸

대만 여행 쇼핑 리스트를 저렴하게, 또 안내했던 전 품목을 구매할 수 있기 때문에 대만 여행자들이 반드시 들르는 곳이다. 타이중역 뒤편에 위치한 타로코 몰 내에 입점해있는 덕안점德安店이 접근성이 좋은데다 타이중 여행을 끝내고 돌아갈 때 들르기 좋다. 타로코몰 내에 여러 의류 및 잡화 업체가 입점해 있어 쇼핑하기 좋은 것은 물론, 음식점 및 카페도 여러 개 있어 쇼핑과 함께 쉬어가기도 좋다.

탑시티 백화점 / 신광미츠코시 백화점

탑시티와 신광미츠코시는 타이중에서 가장 인기 있는 백화점이며, 바로 옆에 붙어 있어서 두 곳을 쉽게 둘러볼 수 있다. 다양한 글로벌 브랜드와 대만 브랜드가 입점해있으며, 대만 특산품이나 기념품을 구매하기 좋다. 탑시티 백화점 지하에는 한국인 여행객들이 선호하는 딤섬 전문점인 딘타이펑과 팀호완이 위치해있다.

광남대비발

펑지아 야시장에 위치한 잡화점으로, 대만 전역에서 찾아볼
수 있다. 중국어로 도매라는 뜻을 가진 대비批發에 걸맞게 문
구 잡화부터 시작해서 화장품, 식품, 생활용품 등 생활에 필
요한 다양한 상품을 저렴하게 판매한다. 국내에서 조금 가
격이 있는 화장품류나 유명한 대만 여행 기념품, 펑리수, 누
가크래커까지 판매하여 쇼핑하기 좋다.

드럭스토어 - 포야 / 왓슨스 / 코스메드

한국에서의 상호는 랄라블라로 바뀌었지만 우리나라 사람들에게 익숙한 드럭스토어. 유명
관광지 인근에 있는 경우가 많아 포야보다 조금 더 쉽게 찾을 수 있다. 규모가 작은 경우가
많지만, 식품류를 제외한 대만의 쇼핑 리스트 대부분을 구매할 수 있다.

편의점 - 세븐일레븐 / 패밀리마트 / 하이라이프 / OK

대만은 우리나라만큼 몇 십, 몇 백 미터마다 편의점을 쉽게 찾을 수 있다. 편의점은 우리나
라 사람들에게도 익숙한 세븐일레븐, 패밀리마트가 있으며 하이라이프와 OK라는 현지 편
의점도 있다. 각 편의점은 규모에 따라 쇼핑 리스트의 대부분을 찾을 수 있다.

해외여행의 피로를 풀어주는 타이중의 마사지

해외여행을 왔다고 신나서 여기저기 돌아다니다보면 발, 다리, 허리 등 피곤하지 않은 곳이 없게 된다. 이 때 여행자들의 피로를 눈 녹듯 사라지게 도와줄 대만 여행의 필수 코스는 바로 마사지! 대만은 맛있는 먹거리로도 유명하지만 몸에 쌓인 피로를 해소해주는 마사지로도 명성이 자자하기 때문이다.

특히 대만은 발 마사지와 샴푸 마사지로 유명하다. 샴푸 마사지와 발 마사지는 전신 마사지에 비해 심리적인 진입 장벽이 낮은 편이며, 해외여행에서 마사지를 한 번도 경험해보지 못한 사람들에게 좋다. 선뜻 해보기는 어렵지만, 그렇다고 받지 않고 오면 아쉬워지는 마사지. 이번 타이중 여행에서는 마사지에 도전해보자!

발 마사지

발 마사지라고 해서 무조건 발만 해주는 것은 아니다. 발 마사지는 발가락 하나하나부터 시작해서 종아리를 타고 올라가 무릎 아래쪽까지 마사지 해주는 것이 일반적이다. 보통 옷을 무릎 위까지 올려야하기 때문에 업체에서 제공하는 옷으로 갈아입는 것이 더 편하다.

발 마사지는 여행 중 오랜 시간 걸어 아팠던 발바닥의 피로부터 시작해서 땡땡하게 뭉친 종아리의 뭉침과 부종까지 풀어준다. 편안한 자리에 앉고 뜨끈한 물에 발을 담가 시원하게 풀어주는 발 마사지는 대만 여행에서 가장 힐링healing되는 순간이 될 것이다.

한국 사람들이 많이 가는 타이중 발 마사지 전문점

아래에서 소개하는 발 마사지 전문점은 한국 사람들이 많이 가는 곳이다. 대만은 발 마사지로 유명하기 때문에 타이중 또한 마사지 전문점이 여기저기 많다. 시간이나 거리가 맞지 않는 경우 본인이 있는 위치에서 구글맵Google maps 어플에 영어로 'massage'를 검색해보자. 근처에 있는 여러 마사지 전문점 중 평점과 후기가 좋은 곳을 가보는 것도 나쁘지 않을 것이다.

춘불배족양회생관(春不茗足湯養生館)

대형 마사지 전문점으로 한국인 여행자들에게도 잘 알려진 곳이다. 특별한 볼거리는 없는 곳에 있지만 인근에 시구西區의 관광지인 국립자연사박물관, 친메이 쇼핑몰, 초오 광장 인근에 있다. 시구에서 도보 여행으로 관광하기 좋은 곳이므로, 도보 여행이 끝난 후 지친 발을 마사지로 풀어보면 좋을 것이다.

위치_ facebook.com/footyoung
주소_ 台中市西區台灣大道二段157號
위치_ 친메이 쇼핑몰에서 도보 약 7분
시간_ 24시 영업
요금_ 발 마사지 & 족욕 50분 NT$700
전화_ 04-2328-9888

어선당 타이중대돈건강회관(御仙堂-台中大墩健康會館)

시구西區에 위치한 마사지 전문점이다. 한국인 여행자들에게 조금씩 알려지고 있는 마사지 전문점으로 현지인이나 현지 관광객들이 많이 방문하는 곳이다. 특별한 관광지는 없지만 어선당 인근에 한국인 여행자들이 많이 가는 타이중의 차 전문점인 무위초당, 대만의 인기 훠궈 전문점 지점들이 근처에 모여 있기 때문에 코스로 함께 묶어 방문하면 좋을 것이다.

홈페이지_ e1111.com.tw **주소_** 801高雄市前金區新盛一街91號 **위치_** 무위초당에서 도보 약 3분
시간_ 13:00~25:00 **요금_** 발 마사지 & 족욕 60분 NT$600 **전화_** 04-2322-9333

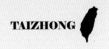

샴푸 마사지

샴푸 마사지는 인기 여행 예능인 KBS2 〈배틀트립〉에 나오며 한국 사람들에게 알려졌다. 하지만 샴푸마사지라고 해서 한국 미용실처럼 머리를 감겨준 후 잠깐 두피를 꾹꾹 눌러주는 간이 서비스를 생각하면 오산이다. 샴푸와 함께 하는 두피 마사지는 이 세상에서 느껴보지 못했던 상쾌함을 느낄 수 있을 정도로 시원하고 강력하게 감겨준다. 발 마사지처럼 특정한 시간은 없고 머리숱에 따라 조금 달라지는데, 보통 40분에서 1시간 전후로 소요된다.

샴푸 마사지 후에는 스타일링이 들어간다. 타이중의 더운 날씨에 축 쳐졌던 머리 스타일을 풍성하고 예쁘게 만들어주기 때문에, 특히 부모님 나이대의 여성 여행자들이 매우 선호한다. 하지만 스타일링은 취향에 따라 호불호가 갈릴 수 있다. 원하는 스타일링이 있다면 머리를 다 말리고 스타일링에 들어가기 전에 꼭 사진을 보여주자.

한국 사람들이 많이 가는 타이중 샴푸 마사지 미용실
아래에서 소개하는 샴푸 마사지 미용실은 한국 사람들이 많이 가는 곳이다. 샴푸 마사지는 타이중에 있는 대부분의 미용실에서 서비스를 제공하기 때문에 특별한 전문점이 없으며, 어느 미용실에 들어가도 상관없다. 시간이나 거리가 맞지 않는 경우 본인이 있는 곳에서 구글맵Google maps 어플에 들어가 'hair salon'을 검색해보자. 근처에 있는 여러 마사지 전문점 중 평점과 후기가 좋은 곳을 가보는 것도 나쁘지 않을 것이다.

DS hair salon

타이중의 젊은이들로 밤낮없이 붐비는 일중가에 위치해있다. 3층에 위치해있어 엘리베이터를 타고 올라가면 되며, 영어가 가능한 직원이 있어 소통이 어렵지 않은 편이다. 여성의 경우 가슴 아래까지의 기장이라면 NT$50이 추가된다. 수요일은 휴무이며 일요일은 오후부터 영업하므로 방문 시 시간에 주의하자.

주소_ 台中市北區一中街101號3樓
위치_ 일중가 내 위치
운영_ 월,화,목~토 11:00~21:00 / 일 14:00~21:00
시간_ 샴푸 마사지 NT$150~
전화_ 04-2223-2299

타이중 여행 밑그림 그리기

타이중은 대만의 떠오르는 관광지로 부상하고 있다. 대만 여행에서 타이중을 다녀온 사람들의 입소문으로 시작해 각종 여행 예능 프로그램에서 방영되기 시작한 타이중은 한국 사람들에게 점점 대만의 새로운 여행지로 각인되는 중이다.

타이중은 한국 사람들이 자주 찾는 타이베이에 비해서 알려진 정보가 한정적인 편이다. 그러나 타이중에 대한 사람들의 관심이 점차 증가함에 따라 타이중 패키지여행과 자유 여행에 대한 정보 또한 조금씩 늘어나고 있다. 주저함이나 귀찮음만 조금 덜어낸다면 타이중 여행을 계획하는 일은 어렵지 않을 것이다.

먼저 해외여행을 처음 떠나보는 사람이라면 여행 계획을 어떻게 짜야할 지부터 고민될 것이다. 하지만 큰 걱정은 하지 않아도 된다. 해외여행은 국내 여행을 계획하는 방법과 크게 다르지 않으며, 해외여행에 필요한 몇 가지 특성만 추가될 뿐이다. 아래의 타이중 여행의 밑그림을 그리는 절차와 설명을 보며 타이중 여행을 계획해보자.

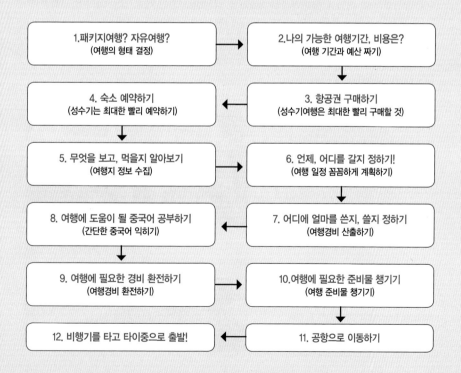

첫 번째는 여행의 형태다. 해외여행은 이것저것 알아볼 것이 많고 준비해야하는 것도 많기 때문에 부담을 갖게 되기 마련이다. 해외여행에 대한 본인의 부담도나 함께 떠날 사람의 의견에 맞추어 패키지여행과 자유 여행 중 어떤 방법으로 여행을 떠날지 고민해보자. 어떻게 여행을 떠날지 결정하고 나면 그 다음은 일사천리로 진행된다.

두 번째는 본인이 어떤 시기에 며칠 정도 여행을 떠날 것이고, 얼마 정도의 예산을 사용할 수 있는지 생각해야 한다. 이 단계는 패키지 여행자나 관광지 여행자가 똑같이 세워야하는 계획이다. 패키지 여행자는 본인의 예산과 여행이 가능한 시기에 따라 출발할 수 있는 패키지 상품을 알아보는 것이 좋다. 자유 여행자는 패키지 여행자보다 자유롭기 때문에 본인의 여행 스타일에 맞춘 예산과 여행 날짜를 확실하게 정하면 된다.

세 번째는 항공권을 예약해야한다. 항공권 예약의 다음 단계인 숙소를 예약하려면 정확히 언제 떠나고 돌아올지에 대한 항공권부터 먼저 구매해야한다. 만약 본인이 여행하는 시기가 대만 여행의 성수기거나 우리나라의 연휴라면 더더욱 빨리 알아보아야한다.

네 번째는 숙소 예약 단계다. 이 단계부터는 자유 여행자들의 과제가 된다. 패키지 상품은 항공권부터 모든 여행 일정과 숙소가 포함돼있는 것이 기본이기 때문이다. 만약 본인이 여행하는 시기가 대만 여행의 성수기거나 우리나라의 연휴라면, 또 한국 사람들에게 잘 알려진 숙소에 갈 예정이라면 최대한 빨리 예약하는 것이 좋다.

다섯 번째는 타이중에 어떤 관광지가 있는지, 어떤 먹을거리가 있는지, 그리고 어떤 곳이 맛집인지 알아봐야한다. 가이드북과 인터넷 검색을 통해 가보고 싶은 관광지와 맛집을 목록화해보자. 다섯 번째의 목록화를 마쳤다면 바로 여섯 번째 단계를 실행할 차례다. 본인의 여행 일정에 맞추어 타이중을 충분히 즐길 수 있도록 언제 어떤 관광지와 맛집에 방문할지 정확한 일정을 계획해보자.

일곱 번째 단계에서는 여행 경비를 산출해야한다. 여행을 준비하면서 어디에 먼저 선 결제를 했고, 타이중에서 쓸 여행 경비는 얼마나 가져갈지 통계를 내는 것이다. 여행 경비 산출은 여행 전과 여행 중의 예산을 알맞게 운용하는데 큰 도움이 된다.

여덟 번째, 아홉 번째, 열 번째 단계는 여행 준비의 막바지 단계다. 여덟 번째 단계는 간단한 중국어를 익히는 것이다. 대만은 중국어를 사용하기 때문이다. 여행에서 사용할 수 있는 중국어를 익혀간다면 조금 더 편한 타이중 여행을 즐길 수 있을 것이다. 아홉 번째 단계에서는 여행에서 사용할 경비를 미리 환전해야하며, 열 번째 단계에서는 여행에 필요한 준비물을 챙겨야한다.

열한 번째, 열두 번째 단계는 타이중으로 출발하는 단계다. 본인의 비행기 시간과 날짜를 잘 확인한 후, 비행기 출발 2시간 전에 공항에 도착하는 것이 좋다. 특히 성수기에는 많은 사람들이 해외로 나간다. 수하물 위탁, 보안 검색, 출국 심사 등 출국 절차에 오랜 시간이 소요되므로 조금 더 넉넉한 시간에 도착하는 것을 추천한다.

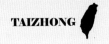
패키지여행 VS 자유여행

많은 사람들이 해외여행을 떠날 때마다 항상 고민하게 되는 문제가 하나 있다. 바로 패키지 상품으로 여행을 다녀올 것인가, 모든 일정을 자유롭게 조정할 수 있는 자유여행을 떠날 것인가가 그 문제다.

특히 타이중을 처음 접하는 여행자들은 패키지여행이 좋을지 자유 여행이 좋을지 고민하게 되는 경우가 많다. 타이중은 오랜 시간동안 대만 여행의 가장 인기 있는 여행지인 타이베이에 비해 유명세가 덜하다. 타이중에 어떤 관광지가 어디에 얼마나 있는지 잘 알지 못하는 경우가 대다수기 때문에 패키지로 가는 게 좋을지, 자유 여행으로 가는 게 좋을지 진퇴양난에 빠지는 것이다.

하지만 타이중은 세계 여러 나라의 여행지와 크게 다른 것이 없다. 대중교통으로 쉽게 접근할 수 있는 관광지도 있고, 때로는 대중교통으로 가기 어려운 곳도 있다. 타이중은 정보를 잘 찾아보고 여행 일정을 꼼꼼하게 계획한다면 자유 여행으로도 어렵지 않은 여행지다. 패키지여행으로 간다면 중국어에 대한 어려움 없이 다양한 곳에 산재해 있는 관광지에 편하게 다녀올 수 있다.

결국 타이중을 패키지로 다녀올 지 자유 여행으로 다녀올지 결정해야하는 기준은 하나로 귀결된다. 바로 타이중을 얼마나 자유롭게 즐길지 이다. 패키지여행이 자유 여행과 다른 특성들 중 가장 강력하게 다른 점은 바로 자유도다.

패키지여행은 국내에서 떠날 때부터 다시 국내로 들어오기까지 마음대로 움직일 수 없다. 처음부터 끝까지 가이드의 인솔에 따라 움직여야하기 때문에 본인이 즐기고 싶은 만큼 느끼지 못하게 되는 경우가 많다. 하지만 자유 여행은 모든 것을 자유롭게 조정할 수 있는 대신, 모든 것을 스스로 찾고 알아보고 이동해야한다는 단점이 있다.

아래에서 패키지 및 자유여행의 장단점, 패키지 및 자유여행을 추천하는 여행자의 유형, 타이중에서 패키지여행과 자유 여행으로 다닐 때 얻을 수 있는 장단점을 잘 읽어보고 본인의 여행에 맞는 방법을 고민해보자.

패키지여행

언제 어디로 떠날지 정하고 돈을 내기만 하면 여행의 모든 것을 책임져준다. 어디에 어떤 관광지가 있고 어떤 음식의 맛집이 있는지 알아볼 필요가 전혀 없다. 볼거리와 먹을거리를 고민할 필요 없이 시시각각 제공해주기 때문에 가장 편하게 다녀올 수 있는 여행 유형이다. 하지만 난생 처음 본 사람들과 항상 함께 다녀야하며, 본인의 마음에 따라 일정을 조절할 수 없기 때문에 자유도가 많이 떨어지는 편이다.

패키지여행은 쉽고 편하게 여러 개의 관광지를 다녀오고 싶은 여행자에게 가장 좋다. 주로 자유 여행에 대한 접근성이 떨어지는 부모님 나이대의 여행자들이 선호한다. 특히 타이중을 패키지로 다녀오게 된다면 타이중과 그 근교에 편하게 다녀올 수 있다.
타이중의 근교에 있는 관광지들은 시내 중심에 있는 곳에 비해 대중교통으로 다니기가 다소 불편하다. 각양각색의 매력을 갖고 있는 타이중의 아름다운 관광지들을 쉽고 편하게 보고오고 싶다면 패키지여행을 선택하는 것도 나쁘지 않다.

자유여행

자유 여행은 모든 일정을 내 마음대로 조절할 수 있다는 것이 가장 큰 장점이다. 어떤 관광지든 본인이 원하는 만큼 충분히 시간을 보내면서 즐길 수 있고, 본인이 가보고 싶었던 식당에 찾아가 먹고 싶었던 음식을 먹을 수 있다. 하지만 자유도가 큰 만큼 모든 것을 혼자 알아보고 움직여야하는 최대의 단점이 있다. 해외 자유여행은 국내 자유여행에 비해 신경써야할 것도 많고 찾아봐야할 것도 많기 때문에 어려움이 다소 있는 편이다.

자유 여행은 말 그대로 자유롭게 여행할 수 있는 것을 선호하는 여행자들에게 좋다. 여행준비에 다소 어려움은 있지만 마음대로 즐길 수 있다는 최대의 장점 때문에 젊은 세대의 여행자들이 많이 선택하는 방법이다. 특히 타이중을 자유 여행으로 다녀올 때 가장 좋은 점은 바로 밤낮 할 것 없이 아름다운 풍경을 자랑하는 곳들을 한없이 즐길 수 있다는 것이다. 아름다운 경관을 자랑하는 타이중의 다양한 관광지에서 시간을 상관하지 않고 원하는 만큼 풍경을 즐긴다면 잊지 못할 대만 여행이 될 것이다.

타이중 현지 여행 물가

타이중에서는 우리나라의 원화를 사용할 수 없기 때문에 반드시 현지 화폐로 환전을 해야 한다. 하지만 본인의 일정과 여행 일수에 맞게 환전을 하려면 타이중의 물가가 대체로 어떻게 형성돼있는지 알아야한다. 타이중의 물가를 잘 알아놓는다면 여행에서 사용할 경비를 산출하는데 큰 도움이 된다.

먼저 해외여행의 경비에서 가장 큰 비중을 차지하는 것은 항공권이다. 타이중 항공권은 저렴하게 예약하면 100,000원대로 구매할 수 있으며, 보통 200,000원대에서 구매할 수 있는 편이다. 여행 기간이 얼마 남지 않았을 때 구매하면 300,000원대에서 구매하게 될 수 있으므로 여행을 계획했을 때부터 찾아보는 것이 좋다.

해외여행에서 두 번째로 많은 비중을 차지하는 것은 숙박비다. 숙소는 여행자의 취향과 성향에 따라서 가격이 천차만별로 달라진다. 먼저 타이중의 호스텔은 10,000원을 전후한 가격대가 형성돼있기 때문에 서렴하게 숙박비를 해결할 수 있다. 호텔의 경우도 저렴한 편에 속하지만, 낙후되고 촌스러운 곳이 아닌 우리나라의 깔끔한 모텔 정도의 컨디션을 원한다면 하루 숙소 예산이 최소 30,000~40,000원은 돼야한다.

구분	세부 품목	1박 2일	2박 3일	3박 4일	4박 5일
항공권	왕복 항공권	100,000원~300,000원 대			
숙박비	호스텔, 호텔, 아파트먼트	10,000원~40,000원 대	20,000원~80,000원 대	30,000원~12,000원 대	40,000원~160,000원 대
식사비	한 끼	2,000원~20,000원 대			
교통비	버스, 택시	1회 0원~4,000원 대			
입장료	관광지 및 박물관 등 각종 입장료	5,000원~8,000원 대			
평균예산	모든 품목 기본 이용 평균값	260,000원~	330,000원~	380,000원~	420,000원~

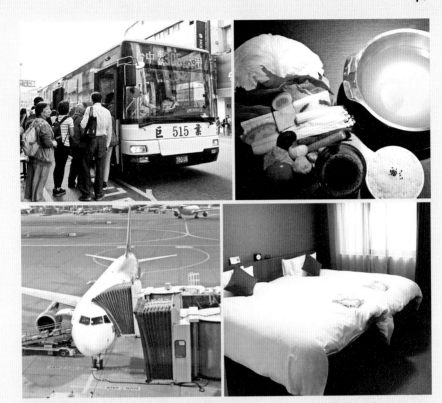

세 번째로 많은 비중을 차지하는 것은 식사비다. 타이중의 현지인들이 이용하는 현지 식당이나 야시장의 음식은 우리나라에 비해 저렴한 편에 속한다. 보통 한 끼를 매우 저렴하게 해결한다면 2,000원대에 해결할 수 있으며, 보통은 4,000~5,000원 대에서 해결할 수 있다. 물론 현대화된 식당이나 고급 식당은 우리나라와 큰 차이가 없다.

네 번째로 비중을 차지하는 것은 교통비지만, 타이중에서는 약간 예외다. 타이중은 버스 외에는 대중교통이 없는데, 교통카드로 버스에 탑승한 사람이 10㎞ 미만의 거리를 이용하면 비용이 발생하지 않는다. 타이중 시내의 관광지는 다 10㎞ 미만이기 때문에 버스 요금이 나올 일이 매우 없다. 물론 택시는 기본요금이 NT$85, 즉 한화 약 3,400원으로 저렴하진 않다.

마지막은 입장료다. 타이중의 관광지 및 박물관 등은 입장료가 있는 곳도 없는 곳도 있다. 하지만 입장료는 우리나라에 비해 저렴한 편이다. 대체로 한화로 5,000원을 전후하는 경우가 많으며 한화 10,000원을 넘는 경우가 없기 때문에 즐겁게 관람할 수 있다.

타이중 숙소에 대한 이해

패키지 상품을 이용하는 여행자들은 숙소에 대해 고민할 필요가 없지만, 자유 여행자들에게 해외여행에서의 숙소 예약은 큰 숙제가 된다. 특히 타이중에 가본 적이 없거나, 해외 자유 여행이 처음인 사람들에겐 더욱 어려울 수도 있다.

타이중은 세계의 다른 여행지의 숙소를 예약하는 방법과 특별하게 다른 점은 없다. 하지만 타이중도 가진 도시 특성은 반드시 있다. 아래의 내용을 잘 읽고 타이중의 숙소를 예약할 때 필요한 정보를 익혀보자.

1. 숙소 유형 결정 후 숙소 위치 살피기

여행자들이 해외여행지에서 가장 많이 숙박하는 숙소 유형은 호스텔과 호텔이다. 호스텔은 도미토리domitory라고 해서 여러 명이 한 방에서 침대를 나누어 자는 공동 침실을 주 서비스로 한다. 숙박비가 저렴한 것이 가장 큰 장점이지만 세계 여러 나라의 사람들과 한 방을 써야하기 때문에 다양한 단점이 생긴다. 호텔은 호스텔의 2~3배 이상의 가격으로 예약해야하는 것이 단점이지만 개인실을 쓸 수 있다는 가장 큰 장점이 있다.

어떤 숙소 유형에서 숙박할지 결정했다면 바로 숙박을 예약해야한다. 타이중은 치안이 좋은 편에 속하기 때문에 특별히 피해야할 숙소의 위치는 없다. 하지만 버스 외에는 대중교통이 없기 때문에 여행자의 일정과 성향에 따라서 예약하는 것이 좋다.

먼저 타이중역은 시내 동쪽 끝에 있고 타이중에서 꼭 방문해야할 펑지아 야시장은 서쪽에 있어, 펑지아 야시장과 타이중역은 버스로 40~50분 정도 걸린다. 타이중 근교로 빠질 예정은 많이 없고 펑지아 야시장을 집같이 방문하며 음식을 섭렵할 예정이라면 펑지아 야시장 인근에 숙소를 잡는 것이 좋다. 반대로 타이중 근교 여행지를 여행할 예정이라면 교통편이 많은 타이중역 인근에 숙소를 예약하는 것이 좋다.

2. 숙소 평점과 후기 살피기

위치가 좋은 숙소들을 골랐다면 해당 숙소들 중 본인의 예산에 적당한 숙소를 고르자. 위치와 예산 다음으로 가장 중요한 것은 숙소의 질이다. 앞의 두 단계를 거친 후에는 해당 숙소에 머문 여행자들이 평가한 숙소의 평점과 후기를 꼼꼼히 살펴봐야한다.

특히 한국 여행자의 후기가 있다면 눈여겨 살펴보는 것이 좋다. 한국 여행자들은 한국 숙소의 청결함과 다양하고 친절한 서비스를 기준으로 평가한다. 장점보다는 단점을 많이 쓰는 여행자들이 더 많다. 만약 본인이 도저히 감당할 수 없는 단점이 있다면 해당 숙소는 제외하자.

3. 숙소의 시설 서비스 살피기

숙소의 시설 및 서비스는 숙소에 따라 천차만별이다. 여행자에게 좋은 시설은 사물함, 엘리베이터, 주방, 수하물 보관소, 세탁기 및 건조기 등이 있으며, 서비스에는 공항 셔틀 서비스와 각종 대여 및 예약 서비스 대행 등이 있다. 특히 24시간 프론트 데스크가 있는 숙소는 이른 체크인이나 늦은 체크인, 여행이나 숙소에서 생기는 다양한 어려움이 있을 때 쉽게 도움을 요청할 수 있다.

대부분의 숙박 예약 어플에서는 숙소 내 외부 사진을 제공한다. 숙소 외부 사진은 숙소를 찾아갈 때 중요하며, 숙소 내부는 여행자가 직접 자고 시설을 이용하는 곳이기 때문에 더더욱 중요하다. 하지만 사진은 언제까지나 사진일 뿐 사진을 너무 믿지는 말자. 가끔씩 사진 제공이 허술한데 좋은 숙소가 있고, 사진은 완벽한데 막상 가보면 별로인 숙소가 있다. 역시 중요한 것은 후기다.

4. 에어비앤비 이용하기

에어비앤비airbnb는 현지인이 여행자에게 돈을 받고 본인의 집을 공유하는 서비스다. 에어비앤비는 호스트(집주인)의 서비스에 따라 질이 천차만별로 달라지기 때문에 여행자들이 좋은 평점을 매긴 슈퍼 호스트의 숙소를 예약하는 것이 가장 좋다. 슈퍼 호스트는 여행자

들에게 인기가 많기 때문에 예약률이 높은 것을 유의해야한다.

에어비앤비에서 숙소를 예약할 때 가장 주의해야할 점이 있다. 바로 에어비앤비의 호스트들은 집에 상주하지 않는 경우가 많다는 것이다. 숙소에 언제 도착하는 지 호스트와 시간을 맞추지 않고 간다면 숙소에 들어가지 못해 기다리는 경우가 많다. 또 해외의 집들은 들어가는 방법이 독특한 곳이 많다. 호스트에게 출입 방법을 제대로 배운 후, 호스트가 보는 앞에서 숙소 출입 방법을 확인받는 것이 좋다.

5. 한인 민박 이용하기

한인 민박의 가장 큰 장점은 한식을 먹을 수 있다는 것과 한국어로 각종 대여 및 예약 서비스를 쉽고 편하게 이용할 수 있다는 것이다. 특히 숙소에서 외국어가 아닌 한국어로 편하게 소통하고 싶은 여행자와 향신료가 맞지 않을까 걱정되는 여행자, 그리고 한식이 아니면 음식에 거부감이 큰 부모님과 함께 여행가는 여행자들에게 적합하다.

하지만 타이중은 대만 여행의 떠오르는 도시인만큼 한인 민박이 여러 개 있는 편이 아니다. 인터넷 검색을 통해 나오는 타이중 및 대만 남부에 있는 한인 민박 후기를 꼼꼼히 읽어보고 비교한 후 예약하자.

숙소 예약 사이트

에어비앤비(Airbnb.co.kr)

호스텔이나 호텔이 아닌 진짜 현지인들이 사는 집을 예약할 수 있는 숙박 예약 사이트다. 본인이 거주하는 집의 방 한 칸을 내주는 경우도 있고, 집 전체를 빌려주는 경우도 있다. 서비스도 바로 예약할 수 있는 즉시 예약, 호스트가 예약 요청을 받아들여야 숙박할 수 있는 예약 방법이 나누어져있다. 어플은 안드로이드와 아이폰 모두 다운로드 가능하다.

부킹닷컴(Booking.com)

전 세계에서 가장 많은 여행자들이 이용하는 숙박 예약 사이트다. 전세계 이용자들의 숙소 평점과 후기를 쉽게 볼 수 있고 이용 방법도 어렵지 않다. 한국인 후기도 많이 올라오기 때문에 참고하기도 좋다. 어플은 안드로이드와 아이폰 모두 다운로드 가능하다.

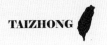

타이중 여행 계획 짜기

1. 주중 or 주말여행 정하기

요즘은 해외여행이 보편화됐기 때문에 해외여행에 비수기가 없다는 말이 있기도 하다. 하지만 해외여행의 성수기와 비수기는 여전히 존재한다. 특히 휴일이 며칠씩 이어지는 황금 연휴나 7월 말 8월 초의 여름휴가 시기에는 가까운 해외 여행지의 항공권이 매진되는 일이 대다수다. 그러나 비수기 및 주중에는 성수기 및 주말에 비해 해외여행을 다니는 사람이 없기 때문에 조금 더 저렴한 가격에 항공권과 숙소를 예약할 수 있다. 일정에 특별한 구애를 받지 않는 사람이라면 비수기나 주중에 타이중을 다녀오는 것이 더 좋을 것이다.

특히 타이중은 직장인들에게도 좋은 해외 여행지다. 거리가 가깝기 때문에 비행시간으로 소요하는 시간도 짧으며, 물가도 저렴한 편에 속하기 때문에 비용에 큰 부담이 없다. 휴가를 따로 낼 수 없는 때에도 주말을 이용해서 다녀온다면 타이중 여행을 즐기고 올 수 있을 것이다.

2. 여행 기간 정하기

타이중에 대한 세세하고 정확한 정보가 없다면 '하루 이틀이면 충분히 다 돌아보고 올 수 있지 않을까?'하고 생각할 수 있다. 실제로 대부분의 여행자들이 다녀오는 타이중은 하루 이틀이 대부분일 정도로 짧게 다녀오는 여행자들이 많다.

하지만 타이중을 짧은 시간에 다녀온다면 짧은 감동밖에 남지 않게 된다. 타이중은 도시의 세련됨과 아름다운 자연 풍경이 함께한 곳이다. 여유 있게 즐겼을 때 더 깊은 감동이 몰려오는 곳이기 때문에 타이중을 충분히 돌아보려면 적어도 사흘은 필요하다.

3. 숙박 예약하기

타이중은 물가가 저렴하기 때문에 합리적인 가격에 좋은 컨디션의 숙소를 예약할 수 있는 경우가 많다. 하지만 성수기나 주말, 여행 시기가 가까이 다가온 때에는 평소보다 가격이 조금 더 올라가는데다. 저렴한 가격에 이용할 수 있는 질 좋은 숙소들은 매진되는 경우가 많다. 조금이라도 더 싸게 좋은 컨디션의 숙소에서 머무르고 싶다면 타이중을 여행하기로 결정했을 때 바로 찾아보는 것이 좋다.

4. 일정과 동선 계획하기

디이중을 어행할 때는 어니를 먼저 방문할지 정하는 것이 좋다. 타이중은 시내 여행과 근교 여행으로 나누어지는데 근교 여행이 좀 더 볼거리가 많은 편이다. 본인이 원하는 일정이 근교 여행 위주라면 근교로 이동하는 교통편이 편리한 타이중역에 숙박을 잡고 동선을

계획하는 것이 좋다. 전체적인 타이중 시내 여행을 계획 중이라면 타이중 시내의 중간에 위치한 시구에 숙박을 잡고 동선을 계획하는 것이 좋다. 타이중의 무엇이 아무리 좋아도 먹방 여행이 최고 우선이라면 무조건 펑지아 야시장 인근에 숙소를 잡고 일정과 동선을 계획하면 된다.

5. 식사 정하기

타이중은 식당이나 노점, 야시장 등 다양한 곳에서 식사할 수 있기 때문에 식사를 해결하는 것에 대한 어려움이 별로 없다. 또 식사비가 저렴하기 때문에 식비 지출에 큰 부담도 없는 편이다. 그렇지만 우리나라만큼 현대적이어 보이는 식당이나 훠궈火鍋 식당 같은 경우는 우리나라에서 식사하는 것과 별 다른 가격 차이가 없어 부담이 될 수도 있다. 현대적인 식당과 현지인 식당을 적당히 분배해 여행한다면 식사 예산을 훌쩍 넘길 일은 없을 것이다.

타이중 추천 일정

타이중은 어디를 어떻게 다녀오느냐에 따라 당일치기, 1박 2일, 2박 3일, 3박 4일, 4박 5일 여행까지 나눠볼 수 있다. 타이중은 타이베이나 가오슝 등에서 출발해 당일치기로 돌아보는 경우는 있지만 시간이 촉박하여 제대로 돌아보지 못하는 경우가 많고, 타이중에서 꼭 들러야 하는 명소들의 거리가 꽤 있기 때문에 당일치기 투어를 이용하는 여행자들이 많다. 투어 미이용 시 이동으로 버리는 시간이 너무 많아 추천하지 않는다. 투어를 이용하든 아니든 대만 내부에서 이동할 경우 최소 1박 2일을 추천한다. 인천에서 출발하는 당일치기의 경우 또한 이동 시간을 빼면 실제 관광 시간이 대여섯시간 내외가 되기 때문에 최소 1박2일을 권한다. 1박 2일이면 너무 많은 곳은 아니더라도 타이중 핵심 명소 코스는 돌아볼 수 있게 된다.

2박 3일, 3박 4일의 일정이라면 타이중의 근교까지 함께 돌아볼 수 있게 된다. 타이중에서 가볼만한 근교는 기차로 쉽게 갈 수 있는 장화와 장화 근처에 있는 루강, 버스로 쉽게 닿을 수 있는 일월담과 기차로 갈 수 있는 처청이 있다. 처청과 일월담 또한 가까운 거리에 있어 함께 묶어 여행하기 좋다. 특히 일월담은 볼거리만 딱딱 찍고 오기보다 여유 있게 산책하듯 즐기며 다녀와야 좋은 곳이다. 당일치기도 좋지만 숙박을 할 수 있다면 숙박을 추천한다.

1박 2일 여행

사실 1박 2일은 너무 짧기 때문에 타이중을 제대로 돌아볼 수 없는 시간이다. 여러 곳에 욕심내지 않고 타이중의 핵심적인 관광시만 쏙쏙 골라본다면 그곳만큼은 즐길 수 있을 것이다. 하지만 여행을 하다보면 욕심이 생겨서 여러 곳에 가보고 싶은 생각이 들게 된다. 여행을 즐기는 것이 아닌 시간에 쫓기듯 돌아보며 관광지만 찍고 오는 여행이 될 확률이 높기 때문에 최소 2박 3일은 시간을 내기를 추천한다.

2박 3일 여행

1박 2일보다는 조금 더 다양한 타이중의 관광지를 돌아볼 수 있는 일정이다. 조금 바쁘게 서두른다면 타이중에서 꼭 가봐야 할 곳은 다 가봤다고 말할 수 있는 일정을 세울 수 있을 것이다. 하지만 2박 3일이라고 해서 타이중에서 가볼만한 모든 곳에 다 가려고 욕심내면 행군에 가까운 일정이 될 수도 있다. 취향에 따라 굳이 꼭 가봐야 할 관광지가 아닌 곳은 빼고 돌아보는 것을 추천한다.

3박 4일 여행

관광지만 찍고 이동하는 일정 소화 여행이 아닌, 즐길 것은 모두 충분히 즐기면서 여유 있는 타이중 여행을 즐길 수 있는 시간이다. 여행자의 취향에 따라 굳이 가고 싶지 않아도 될 것 같은 곳을 뺀다면 타이중을 충분히 즐길 수도 있다.

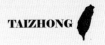

택시투어

타이중은 대중교통으로 쉽게 접근할 수 있는 관광지가 많은 편이며, 볼거리가 퍼져 있는 곳은 도보로도 충분히 이동 가능하다. 그러나 시내 인근과 근교에 있는 관광지에 갈 경우 배차가 길고 이동 시간도 짧지 않다. 대중교통으로 이용하기에는 다소 힘들기 때문에 택시를 이용하는 것도 좋다. 택시 투어는 여행 플랫폼 어플에서 쉽게 예약할 수 있다.

> ### 타이중 핵심 명소만 골라 즐기는 타이중 1박 2일

1일차는 타이중의 핵심 명소를 모두 돌아보는 일정이며, 2일차는 타이중 기차역에서 가까운 타이중 시내 명소를 돌아보고 공항으로 출발하는 일정이다. 타이중에서 반드시 가봐야 할 관광지만 쏙쏙 골라 만든 핵심 코스로, 짧은 시간에 타이중의 중요 관광지를 모두 만날 수 있다.

1일차

타이중국제공항 → 궁원안과 → 무지개마을 → 루체교회 → 고미습지 → 타이중 국가가극원 → 펑지아 야시장

2일차

타이중공원 → 일중가 → 공자묘 → 보각선사 → 타이중국제공항

타이중 시내의 핵심 명소와 소도시를 방문하는 타이중 시내 + 소도시 2박 3일

1일차는 타이중의 핵심 명소를 모두 돌아보는 일정이며, 2일차는 타이중 방문 시 가보면 좋을 소도시인 장화와 루강을 둘러본 후 시내로 돌아와 타이중 젊은이들의 성지인 일중가 야시장을 둘러본다. 3일차는 타이중 기차역에서 가까운 타이중 시내 명소를 돌아보고 공항으로 출발하는 일정이다. 타이중에서 꼭 가봐야 할 관광지와 소도시를 방문하는 코스로, 타이중의 중요 관광지와 소도시까지 모두 만날 수 있다.

1일차

타이중국제공항 → 궁원안과 → 무지개마을 → 루체교회 → 고미습지 → 타이중 국가가극원 → 펑지아 야시장

2일차

타이중 기차역 → 장화역 → 팔괘산 대불 → 하장육원 → 장화공자묘 → 장화목과우유대왕 → 장화선형차고 → 장화객운 → 루강 → 루강 천후궁 → 신조궁 → 루강 라오제 → 반변정 → 루강 예술촌 → 구곡항 → 모유항 → 루강 용산사 → 중루객운 → 타이중 기차역 → 일중가 야시장

3일차

타이중 제2시장 → 타이중공원 → 공자묘 → 보각선사 → 타이중국제공항

타이중 시내의 핵심 명소와 일월담을 방문하는 타이중 시내 + 일월담 2박 3일

1일차는 타이중의 핵심 명소를 모두 돌아보는 일정이며, 2일차는 타이중 근교에 있는 처청과 일월담을 둘러보고 시내로 돌아와 타이중 현지인들이 즐기는 야시장인 한시야시장을 둘러본다. 3일차는 타이중 기차역에서 가까운 타이중 시내 명소를 돌아보고 공항으로 출발하는 일정이다.

타이중에서 꼭 가봐야 할 시내 관광지와 대만이 자랑하는 절경인 일월담을 방문하는 코스로, 도심 코스와 자연 코스가 적절히 어우러진 타이중 여행을 즐길 수 있다.

1일차

타이중국제공항 → 궁원안과 → 무지개마을 → 루체교회 → 고미습지 → 타이중 국가가극원 → 펑지아 야시장

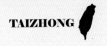
2일차

간청 정류장 → 일월담(쉐이셔관광센터) → 문무묘 → 일월담 케이블카 → 이다샤오 → 쉐이셔 선착장 → 샹산자전거길 → 샹산관광센터 → 쉐이셔관광센터 → 처청 → 임반도 → 처청목업전시관 → 처청라오제 → 저목지 → 처청역 → 타이중기차역

3일차

타이중공원 → 일중가 → 공자묘 → 보각선사 → 타이중국제공항

타이중 시내의 볼거리를 모두 방문하는 타이중 시내 완전 정복 2박 3일

1일차는 타이중의 핵심 명소를 모두 돌아보는 일정이며, 2일차는 타이중의 도심과 감성이 어우러진 명소들을 방문하는 코스다. 3일차는 타이중 기차역에서 가까운 타이중 시내 명소를 돌아보고 공항으로 출발하는 일정이다. 타이중에서 꼭 가봐야 할 시내 관광지와 타이중의 도심 및 감성 핫 플레이스를 방문하는 코스로, 타이중의 핵심적인 명소와 알짜배기 명소를 완전 정복할 수 있다.

1일차
타이중국제공항 → 궁원안과 → 무지개마을 → 루체교회 → 고미습지 → 타이중 국가가극원 → 펑지아 야시장

2일차
타이중 제2시장 → 타이중 시역소 → 타이중 공원 → 일중가 → 공자묘 → 보각선사 → 국립대만미술관 → 심계신촌 → 초오도 → 초오광장 → 친메이 쇼핑몰 → 정명일가 → 훠궈대로 → 무위초당

3일차
타이중공원 → 일중가 → 공자묘 → 보각선사 → 타이중국제공항

근교까지 완전 정복하는 타이중 끝판왕 3박 4일

1일차는 타이중의 핵심 명소를 모두 돌아보는 일정이며, 2일차는 소도시인 장화와 루강을 둘러본 후 시내로 돌아와 타이중 젊은이들의 성지인 일중가야시장으로 마무리한다. 3일차는 타이중 근교에 있는 처청과 일월담을 둘러보고 시내로 돌아와 타이중 현지인들이 즐기는 야시장인 한시야시장을 방문한다.

4일차는 타이중 기차역에서 가까운 타이중 시내 명소를 돌아보고 공항으로 출발하는 일정이다. 타이중에서 반드시 가봐야 할 시내 관광지와 타이중의 근교를 모두 방문하는 코스로, 가장 풍부한 타이중 여행을 즐길 수 있는 일정이다.

1일차

타이중국제공항 → 궁원안과 → 무지개마을 → 루체교회 → 고미습지 → 타이중 국가가극원 → 펑지아 야시장

2일차

타이중 기차역 → 장화역 → 팔괘산 대불 → 하장육원 → 장화공자묘 → 장화목과우유대왕 → 장화선형차고 → 장화객운 → 루강 → 루강 천후궁 → 신조궁 → 루강 라오제 → 반변정 → 루강 예술촌 → 구곡항 → 모유항 → 루강 용산사 → 중루객운 → 타이중 기차역 → 일중가 야시장

3일차

간청 정류장 → 일월담(쉐이셔관광센터) → 문무묘 → 일월담 케이블카 → 이다샤오 → 쉐이셔 선착장 → 샹산자전거길 → 샹산관광센터 → 쉐이셔관광센터 → 처청 → 임반도 → 처청목업전시관 → 처청라오제 → 저목지 → 처청역 → 타이중기차역

4일차

타이중공원 → 일중가 → 공자묘 → 보각선사 → 타이중국제공항

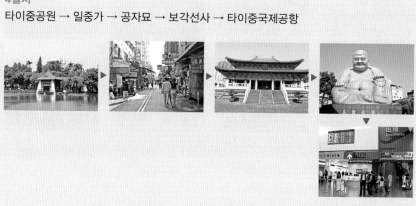

대만 여행 준비물

1. 여권

여권은 해외여행을 위한 첫 번째 필수 준비물이다. 그러나 생각보다 여권을 집에 놓고 오는 여행자들이 굉장히 많은 편이다. 집에서 출발하기 전 가방에 여권이 들어있는지 반드시 확인하고 나오자. 또 여권의 유효 기간이 6개월 이하로 남아있다면 미리 여권을 갱신해놓자. 대만 입국 시 6개월 미만의 유효기간을 가진 여권은 입국 거절의 사유가 될 수 있다.

2. 환전

해외에서는 한국의 원화를 사용할 수 없기 때문에 환전 또한 해외여행을 위한 필수 준비 과정이다. 대만 여행에 필요한 대만 화폐는 국내에서도 환전할 수 있지만, 환율 우대가 낮은 편이다. 여행자들이 많이 사용하는 방법은 국내에서 미국 달러로 환전한 후 현지에 도착해서 대만 화폐로 재환전하는 방법이다.

3. 여행자 보험

여행에서 아무런 일 없이 돌아오는 여행자도 많지만 때로 그렇지 않은 여행자들도 있다. 여행자 보험은 여행 중에 일어나는 상해나 질병, 도난, 배상 등을 보상해주는 보험이다. 보상 한도에 따라 보험비가 높아지지만 대체로 저렴한 가격에 가입할 수 있다. 인터넷으로 간단하게 가입할 수 있으며 국내 공항에서도 즉시 가입 가능하다.
만약 해외여행 중 상해 및 질병으로 병원 치료를 받았다면 서류를 반드시 가져와야한다. 진료 내역이 있는 서류와 영수증은 기본으로 있어야 청구할 수 있기 때문이다. 물론 해외에서 받은 치료만 보상해주는 것은 아니다. 여행 중에 얻은 상해 및 질병을 국내에서 치료한 후 의료비를 청구할 수 있다.

해외여행 중 도난 및 배상 사건이 발생한 경우도 위와 같다. 도난 사건의 경우 현지 경찰서에서 도난 신고를 한 후 '폴리스 리포트Police report'를 꼭 받아야 보상을 청구할 수 있다. 배상 사건은 사고 업체나 숙소의 명함 및 이용 사실을 확인할 수 있는 서류, 사고 관련 사진과 수리 견적서 등 손해를 가했다는 사실을 입증할 수 있는 서류, 피보험자가 배상한 금액이 적힌 영수증 등을 제출해야한다.

4. 여행 준비물

해외여행은 알아봐야하는 것도 많은 만큼 챙겨가야 하는 것도 많다. 눈대중으로 대충 체크하며 챙기다보면 놓치는 물건이 꼭 있다. 체크리스트를 보며 물건을 챙길 때마다 체크를 해놓는다면 빠지는 물건 없이 가져갈 수 있을 것이다. 해외여행 준비물은 크게 6가지로 나뉜다. 이 중 가장 기본적이고 필수적인 주요 물품 위주를 소개한다.
첫 번째는 여행 필수 준비물로 여권과 기차 및 숙소 바우처 같은 여행 서류, 여권 분실 대비 비용 여권 사진 4매, 그리고 현금과 카드 같은 결제 수단이다.

는 위생 용품 및 화장품으로 샴푸 및 린스와 바디워시, 폼클렌징, 스킨로션과 선크림, 치약 및 칫솔, 수건 등이 있다.

세 번째는 의류 및 잡화다. 의류는 일상용과 잠옷, 양말, 속옷이 있으며 잡화는 선글라스나 모자, 실내 슬리퍼, 그리고 대만 여행에서 꼭 필요한 우산과 우비가 있다.

네 번째는 전자기기다. 대만은 기본적으로 110V를 사용하므로 110V용 어댑터를 준비하거나 멀티 어댑터를 꼭 가져가야하며, 여행 사진을 찍기 위한 카메라가 있다면 카메라와 메모리카드, 그리고 핸드폰과 카메라 충전을 위한 충전기를 꼭 챙겨가자.

다섯 번째는 약품류다. 대만은 날씨가 연중 따뜻하기 때문에 모기가 많아 모기기피제나 바르는 약을 꼭 가져가야한다. 또 개인적으로 복용하는 약이나 상비약(종합감기약, 소화제, 멀미약, 진통제, 파스)을 가져갈 때는 마약류로 오해받지 않기 위해 포장 상자 그대로 가져가는 것이 좋다.

여섯 번째는 여행 관련 물품이다. 기본적으로 가이드북과 수첩, 필기구가 있다. 대만 여행은 카드가 안 되는 곳이 많기 때문에 현금을 많이 사용하는데, 이 때 동전이 매우 많이 생긴다. 사용하는 동전 지갑이 있으면 꼭 챙겨가자. 또 여행 중 핸드폰을 잃어버렸을 때를 대비한 일정표와 지도, 여행용 중국어책이 있으며, 여행을 기록하기 위한 일기장을 가져가면 추후 여행을 떠올리기에 좋다.

✱ 잊기 쉽지만 대만 여행 시 반드시 가져야하는 멀티어댑터와 모기기피제 및 바르는 약

구분	품목	개수	체크	구분	품목	개수	체크
필수 준비물	여권			전자기기	110V용 어댑터 or 멀티 어댑터		
	여권용 사진 4매				카메라		
	기차 및 숙소 바우처 등 서류				메모리카드		
	현금				카메라 충전기		
	카드				핸드폰 충전기		
위생용품 및 화장품	샴푸 및 린스				개인 상비약		
	바디워시			약품류	종합감기약		
	폼클렌징				소화제		
	스킨 및 로션				멀미약		
	치약 및 칫솔				진통제		
	수건				파스		
의류 및 잡화	상의 및 하의				모기 기피제, 바르는 약		
	잠옷			여행 관련 물품	가이드북		
	속옷				수첩		
	양말				필기구		
	선글라스				동전지갑		
	모자				일정표		
	슬리퍼				여행용 중국어책		
	우비 및 우산				일기장		
					지도		

대만의 화폐와 환전에 대한 모든 것

대만의 화폐

대만의 화폐를 부르거나 표기하는 방법은 총 3가지다. 첫 번째는 위안Yuan이라 부르는 元이다. 대만 현지인들이 대만 화폐를 부르고 표기하는 방법이다. 두 번째는 뉴 타이완 달러 new taiwan dollar라고 부르는 NT$ 또는 NTD로, 관광객을 대하는 현지 상인 및 직원과 한국 여행자들은 쉽게 달러로 부른다. 대만 현지든 한국이든 표기 방법으로 잘 쓰이진 않는다. 세 번째는 TWD로 Taiwan Dollar의 약칭이다. 대만에서는 잘 사용하지 않으나 한국에서 종종 표기하는 방법이다. 트래블로그 타이중에서는 약칭 표기는 NT$로, 부르는 방식은 대만 달러로 통일해 안내한다.

대만 달러의 종류

대만 달러NT$는 우리나라와 똑같이 지폐와 동전으로 나누어진다. 지폐는 큰 권종 부터 내림차순으로 나열하면 NT$2,000, NT$1,000, NT$500, NT$200, NT$100이 있다.

동전 또한 큰 단위부터 내림차순으로 나열하면 NT$50, NT$20, NT$10, NT$5, NT$1이 있다. 이들 중 NT$2,000, NT$200, NT$20처럼 2가 들어가는 화폐 단위는 거의 사용하지 않는다. 현지에서 거래할 때는 자주 볼 수 있는 지폐는 NT$500, NT$100이며, 동선은 NT$20를 제외하고 NT$1부터 NT$50까지 많이 쓰인다.

환전

여행자들이 대만 달러NT$로 환전하는 방법은 주로 3가지다. 여행자들이 가장 많이 사용하는 순위로 안내하자면, 첫 번째 방법은 이중 환전이다. 국내에서 미국 달러로 먼저 환전한 후 현지에 도착해 대만 달러NT$으로 환전한다고 해서 이중 환전 방법이라고 부른다. 국내 은행은 대만 달러NT$ 환전 우대율이 낮은 편이기 때문에 조금이라도 더 많은 대만 달러를 환전 받기 위해 선택하는 여행자들이 많다.

이중 환전 방법을 선택한다면 타이중국제공항高雄國際航空站에 있는 환전소에서 환전하는 것이 가장 좋다. 대만은 다른 나라들과 달리 공항과 시내의 사설 환전소의 환율이 크게 다르지 않은 것이 그 이유다. 물론 타이중국제공항에서 환전할 시 수수료 NT$30이 붙긴 하지만 이는 한화로 1,200원 정도다. 시내의 우체국은 수수료 없이 환전할 수 있으나 현지 화폐 없이 시내까지 가는 것은 위험 부담이 있으므로, 추가 환전이 필요할 때 이용하는 것을 추천한다.

두 번째 방법은 국내의 사설 환전소를 이용하는 것이다. 그러나 사설 환전소는 특정 장소에 몰려있기 때문에 왕복 이동 시간과 교통비가 추가된다. 이 두 가지 요소를 고려해도 사설 환전소에서 환전하는 것이 이득이라면 사설 환전소를 이용하자.

세 번째 방법은 환전 어플에서 환전한 후 은행 지점 또는 지점 ATM, 공항 은행이나 공항 ATM에서 수령하는 것이다. 먼저 구매하기 원하는 대만달러NT$를 입력한 후 원화를 입금하고 수령 날짜와 지점, 시간을 지정한다. 지정한 날짜 및 시간에 지정 은행이나 ATM, 공항 은행이나 공항 ATM으로 찾아가 직접 수령해온다.

최근 몇몇 환전 어플에서는 공항까지 배달해주는 서비스를 제공한다. 출국날짜와 수령 시간, 출국 공항을 지정해놓으면 출국 당일, 지정한 수령 시간과 공항에서 배달 담당자가 직접 연락한다. 어플마다 배달비 유무 또는 배달 가능한 공항이 다르므로, 배달비 유무와 자신이 이용하는 공항에서 수령할 수 있는지 알아본 후 이용하자.

대부분의 여행자들이 사용하는 세 가지 방법 이외에는 2가지 환전 방법이 있다. 첫 번째는 국내 은행에서 대만 달러를 환전하는 방법이다. 수수료는 높고 환전 우대율은 낮다는 이유로 사용하지 않는 여행자가 많다. 두 번째는 현지 ATM에서 바로 인출하는 방법이다. 수수료가 부담돼 사용하지 않는 여행자들이 많다.

대만 ATM 사용 방법

여행을 하다보면 환전해온 금액을 모두 소진하게 되는 때가 종종 있다. 하지만 돈을 빌릴 수 있는 사람이 없다면 ATM에서 카드로 현금을 인출할 수밖에 없다.

대만의 ATM은 세계의 다른 나라들처럼 신용카드, 체크카드로 현금 인출이 가능하며, 영어가 지원되기 때문에 사용 방법에 큰 어려움은 없는 편이다. 순서와 표기는 ATM 기기마

다 약간씩 다를 수 있으니 당황하지 말고 천천히 진행하자.

이용방법

1. 본인이 사용할 카드사의 스티커가 부착돼있는 ATM 기계에 카드를 넣는다.
2. 언어를 영어로 선택한다.
3. 카드 비밀번호 4자리를 누른다. 간혹 6자리를 요구하면 비밀번호 4자리 뒤에 00을 누른다.
   틀렸다고 한다면 00을 누르고 4자리를 누른다.
4. Withdrawal 또는 Cash withdrawal을 선택한다.
5. 체크카드는 Savings(account) 또는 checking(account), 신용카드는 credit(card), debit(card), cash advance를 선택한다.
6. 인출 금액을 선택한다. 원하는 금액 단위가 없다면 other amount를 누른다.
7. 영수증 인쇄 유무를 선택한 후 카드와 현금을 받는다.

대만 여행에 꼭 필요한 데이터 이용법

대만은 중국어를 사용하는 나라다. 영어나 한국어도 가끔씩 보이긴 하지만 중국어를 잘 모른다면 여행을 하기가 다소 어려울 정도다. 하지만 데이터가 있다면 번역기나 인터넷 검색을 통해 다양한 정보를 활용할 수 있다. 데이터는 패키지 상품을 이용하는 여행자에게도 필요하지만, 자유여행자에겐 거의 목숨과도 비슷하다고 할 정도로 중요성과 필요성이 높다.

대만을 여행할 때 사용할 데이터를 이용하는 방법에는 통신사 로밍, 현지 유심 구매, 현지 유심 대여, 포켓 와이 파이 대여의 3가지가 있다. 각각의 장단점이 있으므로 본인이 필요와 편의에 따라 이용 방법을 선택하자.

통신사 로밍(Roaming)

로밍은 해외에서 유심 변경 없이 국내 번호로 전화 및 문자, 데이터를 이용할 수 있는 서비스다. 국내에서 걸려오는 전화 통화를 꼭 해야 하는 사람에게 필요한 방법이다. 굳이 로밍을 신청하지 않아도 해외에 나가면 자동으로 로밍이 되지만, 자동 로밍은 로밍 요금제에 비해 상대적으로 요금이 비싸기 때문에 로밍 요금제를 신청하는 것이 좋다.

로밍 요금제는 출국 당일 공항에서도 신청 가능하며, 통신사 어플을 통해서도 쉽게 신청할 수 있다. 신청만 하면 큰 번거로움 없이 사용할 수 있다는 편리함이 있지만, 국내 통신사를 해외에서 이용하는 것이기 때문에 현지 유심에 비해 데이터가 느린 편이다. 알뜰폰 사용자의 경우 로밍 요금제가 다양하지 않은 편이다. 알뜰폰 사용자들은 현지 유심 구매 및 대여 또는 국내 포켓와이파이 사용을 권장한다.

현지 유심 구매

현지 유심은 현지에서 데이터와 전화를 사용할 수 있는 현지 통신사 유심이다. 대체로 기간이 정해져있으며 데이터전용 유심과 데이터와 전화통화를 사용할 수 있는 유심으로 나누어진다. 국내에서 미리 구매한 후 집으로 배송 받아 가져가거나 공항에서 수령할 수 있다. 케이케이데이KKday나 클룩Klook같은 국제적인 여행 플랫폼 어플에서 현지 유심을 구매할 경우 현지 공항에서도 수령 가능하다.

유심은 국내 유심을 빼고 현지 유심을 넣으면 바로 작동하기 때문에 간단한 편이다. 그러나 국내에서 구매해온 유심이 불량으로 작동되지 않을 시 현지에서 다시 구매해야 할 수도 있다. 유심은 불량을 입증하면 환불받을 수 있지만, 현지에서 유심이 작동되지 않으면 당황하는 여행자들이 많다. 유심 불량은 종종 있는 경우기 때문에 현지에서 구매 후 직원이 작동 상태를 점검해주는 것을 선호하는 여행자들도 많다.

보통 현지 유심은 국내에서 구매하기보다 현지에서 구매하는 것이 저렴한 편이인데, 대만 공항에서는 국내보다 가격이 몇 천 원 정도로 더 비싸다. 국내에서 현지 유심을 구매해가거나, 여행 플랫폼 어플 케이케이데이KKday 또는 클룩Klook에서 유심을 구매하고 현지 공항에서 수령하는 것이 조금 더 저렴하다.

현지 유심 사용 시 가장 주의해야할 점은 국내 유심을 잃어버렸을 경우다. 아무도 발견하지 않고 사용하지 않는다면 문제가 없으나, 누군가 유심을 사용한다면 요금 폭탄을 맞을 수도 있기 때문에 분실 신고를 해야 한다. 현지에서도 통신사 홈페이지 및 전화로 분실 신고를 할 수 있다.

포켓 와이 파이 대여

국내에서 포켓 와이 파이 기기를 대여하는 방법이다. 국내에는 포켓 와이 파이를 대여해주는 다양한 업체가 있으며, 인터넷 홈페이지에서 쉽게 예약할 수 있다. 집으로 배송 받거나 업체 지정 장소 및 공항에서 수령할 수 있다. 여러 명이 함께 쓸 수 있기 때문에 두 명 이상의 여행자들이 저렴하게 사용하기 좋다.

포켓 와이 파이는 내장 배터리로 작동하는 작은 기계로 충전을 해야 사용할 수 있다. 간혹 무거운 것들은 핸드폰 정도의 무게가 나가기 때문에 다소 불편함이 있다. 또 여행을 끝나고 국내 공항에 돌아왔을 때 무거운 몸을 이끌고 반납을 해야 하기 때문에 번거로움이 있다. 공항에서 반납하지 못할 경우 선불 택배로 배송해야하며 연체료를 내야한다. 포켓 와이 파이 대여 시 가장 주의해야할 점은 분실이다. 업체에서 제공하는 구성품을 분실하면 배상을 해야 하므로 조심해야한다.

현지 유심 대여

현지 유심 대여는 배터리 충전이 필요하고 기계를 챙겨 다녀야하는 포켓 와이 파이의 단점을 승화시킨 방법이다. 유심을 대여하는 방법이기 때문에 유심을 구매하는 것보다 가격이 저렴하다. 국내에서 점점 확장되고 있는 서비스기 때문에 다른 데이터 이용 방법에 비해 서비스를 제공하는 업체가 다양하지 않은 편이다. 포켓 와이 파이 대여와 똑같이 공항에서 반납하지 못하게 된 경우 선불 택배로 배송해야하며 연체료를 내야한다.

대만의 고속철도

대만의 고속철도는 THSR(Taiwan-High Speed Rail)이라고 하며 까오띠에高雄라고 부른다. 간단하게 표기할 때는 T를 빼고 HSR이라 쓰기도 하므로 혼란스러워하지 말자. 대만의 고속철도는 일본의 신칸센을 그대로 수입해서 운행하고 있으며, 최대 시속은 300km/h까지 올라간다. 가격은 우리나라의 KTX와 큰 차이가 없다.

대만 고속철도의 좌석
우리나라 KTX와 달리 역방향이 없기 때문에 모든 좌석이 순방향이다. 좌석은 지정석 및 자유석이 있으며 지정석은 스탠다드Standard와 비즈니스Business가 있다. 스탠다드는 2×3배치이며 비즈니스는 2×2배치다. 비지니스는 스탠다드에 비해 약 1.5~2배의 가격이지만 의자가 더 푹신하고 공간이 조금 더 넓으며, 물과 간단한 먹을거리를 제공한다.

대만 여행에서 고속철도 이용 시 주의할 점
우리나라는 고속철도와 일반철도를 탈 수 있는 곳이 한 개의 역에 같이 있지만, 대만의 고속철도는 일반철도역과 분리된 곳이 많다. 대만 고속철도의 특성에 대해 잘 모를 경우 역에 도착했을 때 잘못 알고 있었음을 알게 돼 예약한 열차를 놓치거나, 급하게 고속철도 역으로 다시 이동하는 일이 발생하게 된다.

특히 타이중 여행자가 대만의 다른 지역으로 이동할 때와, 대만 내에서 타이중으로 이동할 때 고속 철도를 이용할 수도 있나. 하지만 타이중 고속철역高鐵台中站 또한 시내가 있는 타이중 기차역과 8km 정도 떨어져있다. 전자의 여행자는 타이중 고속철역으로 이동해야하며, 후자의 여행자 또한 타이중 고속철역에서 다시 시내로 이동해야한다는 단점이 있다.

다행히도, 타이중 고속철도역高鐵台中站에는 시내로 갈 수 있는 THSR 무료 셔틀 버스가 있다. 6번 출구로 나와 13번 승강장To Tainan City Government에서 159, 160번 버스에 탑승하면 된다. 159번 버스는 타이중 공원 방향으로 가며, 160번 버스는 펑지아 야시장 방향으로 가므로 본인의 행선지에 따라 탑승하면 된다. 무료 셔틀 버스는 새벽 6시경부터 밤 22시경까지 운행하며, 배차 간격은 20분~30분 정도다. 도로 사정에 따라 다르지만 보통 30분 내외로 시내에 도착할 수 있다.

대만 고속철도 예약 방법

고속철도 예약은 총 다섯 가지 방법이 있다. 첫 번째는 대만 고속철도 홈페이지를 통한 예약 방법이며, 두 번째는 대만 고속철도 어플을 통한 예약 방법, 세 번째는 여행 플랫폼 어플에서 예약하는 방법, 네 번째는 현지 편의점에서 예약하는 방법, 다섯 번째는 고속철도역에서 예약하는 방법이다. 각각의 장단점과 예약 방법을 안내하므로 본인에게 적합한 방법을 선택하자.

1. 대만 고속철도 홈페이지

출발 날짜의 28일 전부터 예약이 가능하며, 얼리버드 시스템으로 운영하기 때문에 최대 35%까지 할인받을 수 있다. 한국어가 지원되지 않지만 영어는 지원되기 때문에 조금 더 쉽게 예약할 수 있다. 결제 및 수령은 카드 즉시 결제와 현지 편의점 및 현지 고속철도역, 그리고 고속철도 어플에서 할 수 있다. 세 경우 모두 결제 기한 내에 결제해야 예약이 취소되지 않기 때문에, 홈페이지에서 결제하고 현지에서 수령하는 것이 가장 좋다.

첫 번째로 현지 편의점에서 티켓을 수령할 경우다. 가능한 편의점은 세븐일레븐, 패밀리마트, 오케이, Hi-life, 즉 대만의 모든 편의점이다. 편의점에 비치된 기계에서 예약한 표를 결제하면 바코드가 나온다. 바코드를 카운터에 제출 및 수수료를 지불하면 티켓을 출력해준다.

두 번째는 카드 즉시결제 후 현지 고속철도역에서 수령하는 방법이다. 티켓 수령은 유인 창구나 자동매표기 둘 다 가능하다. 유인 창구에서는 간단한 영어 단어로 소통이 가능하며, 자동매표기는 영어를 지원하므로 보다 쉽게 이용할 수 있다.

세 번째는 카드 즉시결제 후 고속철도 어플에 탑승권을 다운받는 방법이다. 어플은 아래에서 상세히 안내한다. 어플로 탑승권을 다운 받으면 현지에 가서 실물 티켓으로 발권하지 않아도 된다. 어플에서 DOWNLOAD로 메뉴를 눌러 예약 번호와 여권 번호를 입력하면 탑승권을 받을 수 있다. 탑승권에 있는 QR코드를 고속철도 플랫폼으로 들어가는 개찰구의 QR코드 인식기에 갖다 대면 된다.

▶대만 고속철도 홈페이지 www.thsrc.com.tw/en/Home

2. 대만 고속철도 어플

아이폰의 앱 스토어App store와 안드로이드의 구글 플레이 스토어Google play store 모두 다운로드 가능하다. 스토어에 들어가 THSR을 검색한 후 TEX라고 쓰여 있는 어플을 다운받으면 된다. 고속철도 홈페이지와 똑같이 얼리버드 시스템과 영어가 지원된다. 다만 결제가 종종 안 되는 경우가 있으므로, 예매까지 됐는데 결제가 안 된다면 홈페이지에서 결제하자. 홈페이지에서 결제했다면 어플에 탑승권을 받아놓으면 된다.

3. 여행 플랫폼 어플

KKday, Klook, 마이리얼트립, 와그 등의 여행플랫폼 어플을 통해 고속철도 이용권을 구매할 수 있다. 당일 예매는 불가능하고 출발 전날부터 구매할 수 있는데, 외국인 할인을 받기 때문에 언제 예약하든 20% 할인 받은 금액으로 구매할 수 있다.

여행 플랫폼 어플에서 고속철도 이용권을 구매할 때는 출발 전날에도 할인된 금액으로 구매할 수 있다는 큰 장점이 있지만, 수령 및 좌석 지정 시 주의해야할 점도 있다. 먼저 여행플랫폼 어플에서 구매할 수 있는 고속철도 티켓은 자유석이며, 티켓 수령 및 좌석 지정 역시 현지 고속철노역의 유인창구에서만 할 수 있다.

티켓을 수령하려면, 메일로 받은 바우처Voucher나 어플의 바우처를 유인 창구 직원에게 보여주면 된다. 이 때 여권을 제시해야하므로 반드시 여권을 가지고 가야한다. 여행 플랫폼 어플에서 예약하고 유인 창구에서 수령하는 티켓은 우리나라의 여권과 비슷한 사이즈이며 살짝 두꺼운 종이다. 플랫폼으로 들어가고 나갈 때는 직원의 도장을 받고 전용 출입구로 나가야한다. 본인 확인을 위해 여권을 요구할 때가 있으니 당황하지 말고 미리 준비해놓자.

여행 플랫폼 어플로 이용권을 구매했을 때의 단점은 자유석 이용권이라는 것이다. 물론 좌석 지정이 가능한 자유석 이용권이기 때문에 좌석이 남아있다면 좌석을 선택할 수 있다. 하지만 좌석이 없을 경우 자유석 칸에 가야한다. 자유석 칸은 우리나라의 입석과 같은 개념이지만, 열차의 10호~12호로 정해져있다. 자유석 칸에 자리가 없으면 서서 가야하지만 자주 있는 일은 아니다. 연휴일 때는 이동인구가 많기 때문에 서서 가야할 수도 있다. 최대한 빨리 고속철도역으로 가서 좌석을 지정해야 원하는 시간과 좌석을 선택할 수 있으며, 돈을 내도 서서 가는 불상사를 방지할 수 있다.

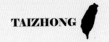

4. 현지 편의점

대만 전국의 편의점에는 고속철도
및 시외버스 예매나 각종 공과금을
납부할 수 있는 기계가 있다. 언제
어떤 편의점에서든 고속열차를 예

매할 수 있다. 영어도 지원되므로 조작은 걱정하지 않아도 된다. 편의점에서 예매한 티켓
또한 QR코드가 함께 나오기 때문에 개찰구에서 QR코드 인식기에 찍으면 플랫폼으로 들어
갈 수 있다.

5. 고속철도역

현지 고속철도역에 있는 유인 창구와 자동 매표기는 표를 쉽게 구매할 수 있지만 두 가지
단점이 있다. 가까운 시간대에 원하는 좌석이 없다면 다음 시간대까지 기다려야하며, 단 1
원도 할인해주지 않고 정가를 받는다는 것이다.

유인 창구의 직원들은 영어 단어 위주로 소통 가능하며, 자동매표기는 왼쪽 하단에서 영어
지원모드로 바꿀 수 있다. 자동 매표기에서 티켓을 예매할 때는 현금과 카드 둘 다 가능하
나, 기계 상단을 보면 현금 전용과 카드 전용이 나누어져 있기도 하므로 예매 시 확인하는
것이 좋다. 카드 전용은 결제 시 기계에 달려있는 번호키를 이용해 비밀번호를 입력하면
된다.

창구와 매표기에서 발권한 티켓은 플랫폼으로 들어가는 개찰구에서 기계 하단에 투입하
면 윗부분으로 다시 나온다. 도착역에서 밖으로 나갈 때도 똑같은 방법으로 개찰구 기계
하단에 티켓을 투입하고 나가면 된다.

대만 여행 시 알아두면 좋을 월별 유의 사항

모르고 가면 어리둥절하거나 약간의 어려움을 겪을 수도 있고, 알고 가면 이해하고 써먹을 수 있는 시 유의 사항! 대만 여행을 준비할 때, 대만을 여행할 때 월별로 알아두면 여러 가지 사항을 한 번에 모아봤다. 본인이 여행하는 시기에 생각지도 못한 유용한 정보를 발견할 수 있으므로 유의해서 읽어보자.

2~3월

2, 3월은 대만의 봄에 해당하는 달이다. 봄에만 볼 수 있는 아름다운 벚꽃이 피는 시기로, 타이중 시내 여기저기에서도 벚꽃을 볼 수 있다. 가장 인기 있는 벚꽃 명소는 일월담에서 케이블카를 타고 갈 수 있는 구족문화촌이다.

특별히 2월에는 우리나라와 똑같이 대만의 설 연휴가 있다. 이 시기에는 곳곳의 관광명소에서 축제가 벌어지기 때문에 색다른 대만 여행을 즐길 수 있는 때다. 하지만 특별한 볼거리와 즐길 거리가 많은 것도 잠시, 세 가지 주의할 점이 있다.

첫 번째는 어떤 관광지든 사람이 차고 넘친다는 것이다. 관광객뿐만 아니라 현지인들도 휴일을 즐기고 여기저기 놀러 다니기 때문이다. 이 시기에 여행을 계획한다면 볼 것도 많겠지만, 사람 구경도 많이 할 것을 유의하고 가는 것이 좋다.

두 번째는 대부분의 상점과 음식점, 몇몇 관광지들이 문을 닫는다는 것이다. 물론 대형 쇼핑몰은 여는 경우가 많지만 거리 자체가 휑하고 스산한 편이다. 특히 설 당일에는 거의 모든 곳이 닫기 때문에, 설 연휴를 전후한 시기에는 관광지든 맛집이든 본인이 계획한대로 방문할 수 없는 확률이 매우 높다.

마지막으로 주의해야할 점은 바로 도시 이동이다. 이 시기에는 우리나라의 추석처럼 대만의 전 국민이 전국 각지로 이동한다. 도시 이동편을 당일에 예매한다면 예매를 하지 못할 수도, 운 좋게 예매를 한다 해도 입석으로 가는 경우가 대부분이다. 도시를 이동할 계획이 있다면 일찌감치 예약해두는 것이 좋다.

4~8월

4~8월은 대만의 여름이 시작되고 절정에 달하는 때다. 날이 매우 덥지만 여행을 못할 정도는 아니다. 그러나 여행을 왔다 해서 여기 저기 쉬지 않고 몇 시간 구경하다간 무조건, 반드시 더위를 먹는다. 더위를 먹으면 머리를 찌르는 듯한 두통이 끊임없이 지속되며 현기증과 어지럼증이 동반된다. 여행을 왔다고 해서 쉬지 않고 여기저기 돌아다니다간 여행의 즐거

움을 느끼는 게 아닌 두통을 느끼는 여행이 될 수도 있다. 이 시기에는 실내, 실외 일정을 적절히 섞어가며 중간 중간 시원한 음료나 빙수로 더위를 식혀야 즐겁게 여행할 수 있다.

특히 6~8월의 일기예보에는 흐림과 뇌우 그림이 범벅인 날이 많다. 월평균 강우량 자체가 300~400㎜로 뛰어오르는 시기인데다 태풍이 오는 달이기 때문이다. 그러나 너무 걱정하지 않아도 된다. 비가 오는 날 만큼이나 해가 뜨는 날도 많기 때문이다. 하루 종일 비가 오는 날도 있겠지만 산발적으로 흐리거나, 소나기가 몇 시간 정도 비가 내린 후 날이 갤 때도 많다.

평소 추위를 잘 타는 편이라면 얇은 가디건도 필수다. 때로는 다소 추울 정도로 에어컨을 가동하는 우리나라 지하철처럼 대만 또한 박물관이나 지하철, 기차, 버스, 그리고 현대화된 식당 등은 매우 시원하게 에어컨을 틀기 때문이다. 실외와 실내의 극명한 온도차에 냉방병에 걸릴 확률이 높기 때문에 본인의 체질 및 컨디션에 맞게 주의하는 것이 좋다.

9~10월

9, 10월은 대만의 날씨가 가을로 접어드는 시기다. 9월의 평균 강우량은 전월인 7,8월의 400mm에서 200mm로 확 줄어든다. 여전히 흐림과 뇌우 표시만 반복된 일기예보에 여행 전부터, 여행 중에도 계속 불안할 수 있지만 마음을 내려놓자. 7, 8월과 같이 하늘이 전부 흐린 것이 아니라 군데군데 흐린 때가 더 많다. 조금 시간이 지나면 구름이 물러가고 파란 하늘이 들어서기도 한다. 여유롭게 즐기다보면 어느새 맑아진 하늘을 발견할 수 있을 것이다.

대만의 찌는 듯한 더위를 피하기 위해서 9월로 여행을 계획할 수도 있다. 하지만 9월 초라면 더 미뤄야한다. 9월 초는 8월이나 다름없이 덥기 때문이다. 조금이라도 선선한 날씨에서 여행하고 싶다면 최소 9월 말에서 10월 초는 넘어야한다. 그러나 10월의 기온도 한국의 가을만큼 시원한 것은 아니다. 어디까지나 여름에 비해 몇 퍼센트의 습도와 몇 도의 기온이 내려갈 뿐이므로 더위에 대해 마음의 준비를 하고 가는 것이 여행자에게 편하다.

특히 9, 10월까지는 태풍이 종종 온다. 6~8월에 비해 태풍이 오는 횟수가 적기는 하지만, 위력은 그다지 적지 않기 때문에 여행자들의 계획에 영향을 꽤 미친다. 이 시기에 여행을 갔다면 날씨를 예의 주시하며 실내외 일정을 조절해야한다.

11~1월

11월에서 1월은 대만의 겨울에 해당하는 시기다. 아침저녁으로는 선선하지만 한낮에는 30℃까지 올라가는 때가 종종 있어 두꺼운 긴팔은 다소 더울 수 있다. 얇은 반팔에 얇은 긴팔을 덧입거나 가디건을 가지고 다니는 것이 좋다. 평소 추위를 많이 타는 편이라면 부피가 작고 얇은 경량 패딩을 챙겨가기를 추천한다.

여행 중 물건을 도난당했을 때 대처 요령

해외여행에서 지갑, 카메라, 핸드폰, 여권 등 여행 필수품을 분실하거나 도난당해 잃어버리게 되면 무척 당황스러워진다. 여행을 왔다는 즐거운 기분은 사라지고 물품을 잃어버렸다는 생각에만 휩싸여 당장 집에 돌아가고 싶어지거나, 우울해지거나, 속상함에 빠져 여행의 즐거움을 잃어버리는 경우가 대부분이다.

어려운 일이지만 이런 때일수록 이성을 찾고 본인이 해결할 수 있는 방법을 찾아야한다. 일단 분실 신고가 가능한 물건은 잃어버린 즉시 분실 신고를 해야 한다. 먼저 핸드폰을 잃어버린 경우 통신사를 통해 핸드폰 분실 신고를 해야 하며, 지갑을 잃어버렸다면 지갑에 들어있는 카드를 기억해내고 카드 회사를 통해 분실 신고를 해야 한다.

다음은 현지 경찰서를 이용한 분실 신고다. 경찰서에서 잃어버린 물품에 대한 분실 및 도난 신고를 할 때는 폴리스 리포트police report서류를 쓰게 된다. 이 서류를 쓴다고 해서 무조건 찾을 수 있다는 확률은 없지만, 분실 신고를 하지 않는 것보다는 물품을 찾을 수 있는 확률이 1퍼센트라도 올라간다. 카메라와 여권은 잃어버린 즉시 경찰서에 가서 분실 및 도난 신고를 해야 하며, 핸드폰과 지갑의 내용물은 타인의 사용 위험이 있기 때문에 즉시 정지를 해놓은 후 경찰서에 가서 분실 및 도난 신고를 해야 한다.

만약 여행자보험을 들어놓았다면 잃어버린 물품을 보상을 받을 수 있다. 그러나 가장 중요한 점이 있다. 본인 부주의로 인한 분실은 보상을 받지 못한다는 것이다. 반드시 도난을 당해서 잃어버린 물품만 보상을 받을 수 있기 때문에 경찰서에서 폴리스 리포트police report를 작성할 때 도난이라는 뜻의 스톨른stolen을 경찰관에게 알려주어야 한다. 폴리스 리포트는 몇 개의 항목 빼고는 경찰관이 작성하기 때문이다. 폴리스 리포트police report에 스톨른tolen이 명시되지 않으면 보상을 받지 못한다.

여행이 끝나고 귀국한 후에는 여행자 보험 보상 절차를 진행해야 한다. 여행자 보험을 가입했던 회사에 전화하거나 홈페이지에 들어가 보험금 청구에 필요한 서류를 안내받으면 된다. 보험금 청구에 필요한 서류는 보험금 청구서 및 개인정보 동의서, 폴리스 리포트, 여권 사본이나 해당 국가를 방문을 입증하는 출입국 도장 사본, 사고 경위서 등이 있다.

보통 잃어버린 물품의 원가를 보상받는 경우는 많이 없고, 본인이 가입한 보험 상품의 보상 상한액에 맞추어 받게 된다. 만약 고액의 물품을 가져간다면, 잃어버릴 경우를 대비해 원가와 최대한 비례하는 금액을 보상받을 수 있는 보험 상품을 계약하는 것이 좋다. 또 여행자 보험은 여러 곳에서 가입했어도 중복으로 보상받을 수 없기 때문에 한 곳에서만 가입해야한다.

최근 여행자 보험을 악용하는 사례로 허위 청구를 하는 사람들이 늘어나고 있다. 하지만 보험사는 청구 서류에 대해 꼼꼼하고 철저하게 조사하기 때문에 허위 신고가 발각되면 법적인 처벌을 받을 수 있다. 또 현지에서도 허위 신고를 하다가 발각되면 현지에서 처벌되기도 하므로 허위 신고는 절대 하지 말자.

타이중 여행 중의 여권 분실 대처 요령

여권 간수에 대한 경각심을 고취시키기 위해 결론부터 짧게 말하겠다. 타이중을 여행하다가 여권을 잃어버리면 재발급을 위해 무조건 타이베이로 가야한다. 여행 시간과 여권 재발급을 위한 각종 처리비용을 날리고 싶지 않다면 절대 잃어버리지 않도록 간수하는 것이 최선임을 밝혀둔다.

여행 전 여권 분실로 인한 재발급 대비하기
여권은 해외에서 사용하는 신분증이자 입출국을 위해 절대적으로 필요하다. 다른 물품들은 가슴이 쓰리고 여행에 약간의 지장이 있는 정도지만, 여권은 다시 한국으로 돌아가기 위해 무조건 필요한 물품이므로 여행 전 여권 분실에 대비해두는 것이 좋다.

먼저 여행 준비물을 챙길 때 여권 사본과 여권용 사진 4매를 꼭 챙겨놓자. 여권을 재발급받을 때 여권 정보를 적고 사진을 부착해야하기 때문이다. 물론 여권 사진은 현지에서도 찍을 수 있지만, 여권 정보는 본인이 갖고 있지 않다면 재발급 과정에 상당한 어려움이 생긴다. 특히 여권 사진은 모자와 안경, 렌즈를 빼고 양쪽 눈썹과 귀가 나오도록 찍어야하며 흰색 상의는 사진은 안 된다. 혹시 가방을 잃어버려 여권 사본과 여권 사진을 모두 잃어버릴 때를 대비해 핸드폰이나 카메라로 여권 번호와 유효 기간이 나온 페이지를 찍어두는 것도 좋다.

타이중에서 여권 분실 시 재발급 방법

타이중에서 여권을 분실하면 두 가지 절차를 거쳐야한다. 첫 번째로는 타이중에 있는 관할 이민서에서 여권 분실 신고를 한 후, 두 번째로 여권 발급을 위해 타이베이에 있는 주 타이베이 한국대표부 영사처로 가야한다.

1. 타이중에서 여권 분실신고하기

여권을 분실하면 먼저 관할 이민서에서 여권 분실 신고를 해야 하며, 타이중에는 난툰구에 관할 이민서가 있다. 관할 이민서에서는 여권 분실 신고에 필요한 서류를 작성하고 사진 2장을 붙여 제출한다. 여권 분실 신고 처리가 완료되면 분실 신고증을 준다. 다음으로 여권을 재발급하려면 타이베이에 있는 주 타이베이 한국 대표부로 가야한다. 고속철타이중역高鐵台中站으로 이동하여 고속철을 타면 약 2시간 이내에 타이베이에 도착할 수 있다.

타이중 이민서

- ▶위치 | 타이중기차역(臺中車站)에서 열차 승차하여 오권차참(五權車站)하차. 오권차참역에서 약 2km
- ▶운영시간 | 08:00~17:00
- ▶주소 | 台中市南屯區文心南三路22號1樓
- ▶전화 | 04-2472-5103

타이중 이민서 전근대(專勤隊)

- ▶위치 | 타이중 이민서와 동일 건물 3층
- ▶운영시간 | 18:00~08:00
- ▶주소 | 台中市南屯區文心南三路22號3樓
- ▶전화 | 04-2472 5102

---

2. 주 타이베이 대한민국 대표부에서 여권 재발급하기

대만과 대한민국은 수교 상태가 아니기 때문에 영사관의 역할을 하는 주 타이베이 대한민국 대표부에서 여권을 재발급해야한다. 주 타이베이 대표부는 타이베이 101 인근에 위치해 있다.

먼저 타이베이 지하철을 타고 MRT 타이베이 101台北101/World Trade Center(世貿站)에서 1번출구로 나와 길을 따라 조금 걸어가면 TWTC International Trade Building(臺北世界貿易中心國際貿易大樓)이 있다. 주 타이베이 대표부는 건물 15층에 위치해있다.

주 타이베이 대표부에는 한국인 직원이 일하기 때문에 여권 재발급을 쉽게 할 수 있다. 여권은 단수 여권과 복수 여권 모두 발급받을 수 있으며 여권 발급 수수료가 있다. 영사과에 비치된 구비 서류를 작성하고 타이중에서 받은 분실 신고증과 사진 2매 등을 제출하면 1시간 전후로 여권을 재발급 받을 수 있다.

주 타이베이 대한민국 대표부

▶ **위치** | MRT 타이베이 101(台北101/World Trade Center/世貿站) 1번 출구에서 도보 약 2분
▶ **운영시간** | 09:00~12:00 / 14:00~16:00
▶ **주소** | 臺北市信義區基隆路1段333號 15F 1506室
▶ **여권 발급 수수료** | 단수여권 NT$450
▶ **전화** | 평일 근무시간 886-2-2758-8320 / 주말 및 공휴일 당직 0912-069-230

타이베이 이민서 전근대

▶ **위치** | MRT Wanfang Hospital Station/萬芳醫院站 1번 출구에서 도보 약 10분
▶ **운영시간** | 17:00~익일 08:00
▶ **주소** | 臺北市文山區興隆路3段306號
▶ **여권 발급 수수료** | 단수여권 NT$450
▶ **전화** | 02-2239-6393

대만 여행이 처음인 사람이 주의해야할 10가지

대만 여행에서는 모르고 가면 난감하거나, 어리둥절하거나, 자칫하면 벌금까지 물 수도 있는 등 주의해야할 점이 의외로 많다. 아래에서 안내하는 10가지 주의할 점과 대처법을 잘 기억해둔다면 대만 여행을 한층 더 즐겁게 다녀올 수 있을 것이다.

1. 대중교통 음식물 섭취 금지

먼저 타이중은 상관이 없다. 하지만 가오슝이나 타이베이의 경우 버스와 지하철은 음식물 섭취를 아예 금지한다(시외버스 및 고속버스는 가능). 물도 마시면 안 되며, 껌도 안 된다. 음식물을 먹거나 마시면 벌금이 최대 NT$7500까지 부과되는데 이는 한화로 약 300,000원에 해당하는 돈이다. 아무 생각 없이 있다가 언제 실수할지 모르므로 정신을 바짝 차리고 있는 것이 좋다.

그런데 음식물 섭취에 대한 벌금이 워낙 높아서 그런지, 여행자들 중 음료나 음식을 투고to go 또는 테이크아웃take out했다가 대중교통을 타기 전 모두 먹거나 마셔버리고 타는 경우가 있다. 기본적으로 대중교통에 음식물을 반입하는 것은 가능하다. 특히 음료의 경우 빨대를 꼽은 상태는 의심을 살 수도 있으므로 빨대를 절대 꼽지 말고 타는 것이 좋다.

번외로 기차도 음식물을 섭취하지 못하는지 궁금할 수 있다. 기차는 우리나라처럼 음식물 섭취가 가능하다. 특히 고속철(HSR)의 경우 우리나라 기차처럼 각종 음식물과 간식을 판매하는 카트를 운영한다.

2. 낮은 카드 사용률

대만은 카드 사용률이 적고 현금을 많이 사용한다. 대형 쇼핑몰이나 백화점, 현대적인 식당이나 고급식당이 아니면 카드로 결제할 수 있는 곳이 거의 없기 때문에 대부분의 여행 경비를 현금으로 환전해 가야한다.

3. 독특한 버스 이용법

본인이 탑승할 버스가 멀리서 보이기 시작하면 손을 높이 들어 탑승을 표시해야 한다. 표시하지 않으면 버스가 정차하지 않고 가버리기 때문이다. 버스가 오른쪽 깜빡이를 켜고 인도 가까이로 차선을 바꾸면 확인했다는 표시다. 조금 더 주의해야할 점이 있다면, 어두운 밤에는 사람이 잘 보이지 않아 그냥 지나갈 수도 있으므로 열정적으로 흔들어야한다.

4. 우버(Uber) 이용 주의

우버는 공유차량 택시로, 해외여행에서 여행자들이 애용하는 택시 어플이다. 일종의 콜택시처럼 운영되며 전용 어플인 우버Uber로 이용할 수 있다. 우버는 승차 전 도착지를 입력하기 때문에 택시 기사와 말하지 않아도 원하는 곳에 쉽게 갈 수 있다. 또 카드를 등록해놓으면 자동 결제가 되기 때문에 바가지요금을 물게 될 위험도 없다.

우버는 대만에서도 활성화된 서비스로 대만 여행자들도 편하게 사용하고 있다. 그러나 2019년 6월부터 대만 교통부에서 택시 업계를 보호하기 위한 '우버 조항'을 시행했다. 우버 조항은 우버 차량이 일별 또는 시간 단위로 운송 서비스를 제공하도록 한 규정이다. 최소한 시간 이상 이용해야하기 때문에 근거리를 이동하는 택시 서비스는 이용할 수 없게 됐다. 2019년 10월부터는 위반 차량에 대한 벌금 부과를 시작하면서 우버를 이용한 근거리 이동은 점점 더 어려워질 전망이었으나, 계속적인 조정으로 아직 서비스는 중단되지 않았다. 타이중 또한 택시를 여기저기서 볼 수 있기 때문에 우버가 꼭 필요하진 않다. 하지만 우버를 주로 이용할 예정이라면 최근 여행 후기를 찾아 우버 서비스의 이용을 점검하는 것이 좋다.

5. 더위 증상

처음부터 계속 강조하고 있지만 대만은 더운 나라다. 겨울철인 11~2월에도 30도까지 올라가는 날이 종종 있으며, 습도 자체가 높기 때문에 더 푹푹 찌는 느낌이다. 여행을 왔다고 해서 실외 관광지를 오랫동안 돌아다니다가는 더위를 먹을 수도 있다. 실외 일정을 소화할 때는 수분을 소량으로 계속 섭취해야하며, 관광은 실외 일정과 실내 일정을 적당히 섞어야한다.

만약 살짝 두통이 있고 어지러운 것 같다 싶으면 무조건, 즉시 실내로 이동해 휴식을 취해야한다. 실내에서 1~2시간 넘게 휴식을 취해도 작은 두통이나 어지러움이 있으면 그날은 일정을 취소하는 게 낫다. 조금만 더 보자며 욕심을 내다가 더위를 제대로 먹게 되면 이후의 일정을 아예 소화할 수 없게 될지도 모른다.

특히 대만에서 최대한 더위를 피해 관광하려면 대만의 특성을 이용해야한다. 대만은 뜨거운 태양과 잦은 비 때문에 도로가에 위치한 상점과 식당이 있는 건물들은 필로티 구조로 지어져있다. 필로티 구조는 최근 우리나라의 주택 건축에서 자주 사용하는 형태로, 1층에 높은 기둥을 세운 후 1층은 주차장으로 사용하고 2층부터 사람이 사용하는 구조다.

대만의 도로가에 위치한 건물들은 필로티 구조로 건축함으로써 상점과 식당 앞에 사람들이 지나다닐 수 있는 인도를 만든다. 뜨거운 햇볕을 가릴 수 있기 때문에 조금이나마 더위를 피할 수 있다. 타이중, 장화, 루강 등은 대부분 필로티 구조로 만들었기 때문에 이동 시 안쪽으로 걷는다면 쉽게 햇볕을 피할 수 있다.

6. 당황스러운 교통체계

대만은 모든 곳에 보행 신호등이 있는 것이 아니다. 유동인구가 많은 곳이나 관광지는 보행 신호등이 있지만, 보행자가 많이 없고 관광지가 없는 일반 시내는 보행 신호등이 없는 횡단보도가 대부분이다. 대만이 처음인 여행자라면 길을 어떻게 건너야할지 당황스러워하다 때마침 길을 건너는 현지인을 따라 어리둥절하며 건너게 된다.

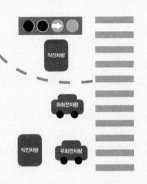

보행 신호등이 없는 횡단보도에서 길을 건너는 방법은 어렵지 않다. 본인이 건너려고 하는 방향의 차량 신호등이 초록불일 때, 즉 차량들이 옆에서 직진을 하고 있을 때 건너면 된다.

대만의 당황스러운 교통체계 두 번째는 보행 신호등이 초록불로 바뀌어도 차량들이 횡단보도로 진입하는 것이다. 이 현상은 대만의 운전자들이 개념이 없는 것이 아니다. 대만의 신호 체계는 양방향 동시체계기 때문에 차량 신호등과 보행 신호등이 같이 켜진다. 직진 신호 시 우회전 신호가 함께 켜지며 비보호 좌회전이 가능해진다. 초록불이 켜진 횡단보도에 좌회전 차량과 우회전 차량이 진입할 수 있다는 것이다.

그러므로 대만에서는 보행 신호등이 켜졌다 해서 무조건 안심하고 건너선 안 된다. 좌회전 차량과 우회전 차량이 들어오는 왼편을 항상 주시하며 횡단보도를 건너야한다. 특히 모자를 푹 눌러쓰거나 양산 및 우산을 쓸 때는 시야가 가려지는 경우가 많기 때문에 더더욱 주의하며 건너야 한다.

7. 사시사철 있는 모기

대만은 아열대 기후이기 때문에 1년 내내 온화하다. 이러한 기후 때문에 모기가 1년 사계절 내내 있는 편이다. 모기는 보통 10월까지 기승을 부리고 11월~2월의 겨울에는 그나마 덜하지만, 그렇다 해서 아예 없는 것은 아니다. 다른 때에 비해서 덜한 것이다.

특히 어린아이를 동반한 여행자라면 반드시 모기 기피제를 챙기자. 물론 드럭 스토어drug store에서 저렴하고 다양한 모기 기피제를 살 수 있으며, 특성상 현지 모기 기피제가 좀 더 효과가 있는 편이다. 그러나 향이 독해 사용하기 힘들거나 알러지 반응이 일어나는 경우가 종종 있다. 한국에서 먼저 구매해간 후 효과가 없으면 드럭스토어에서 모기 기피제를 구매하자.

8. 떠돌이 중형견들

대만 전역에서는 떠돌이 견들을 매우 쉽게 볼 수 있다. 문제는 이 떠돌이 견들이 대부분 크기가 큰 중형견이라는 것이다. 평소 개를 무서워하는 사람이라면 떠돌이 견들의 크기 때문에 겁을 먹게 되는 경우가 많다. 그러나 대만의 떠돌이 견들은 대부분 온순한 편으로 사람에게 먼저 달려들지 않는다. 또 더위와 굶주림에 지쳐있기 때문에 기력 없이 누워있는 경우가 대부분이다.

큰 소리를 지르거나 위협하는 등 특별하게 자극하지 않는다면 물리는 일은 절대 없을 것이다. 떠돌이 견들을 발견했을 때는 가까이 다가가지 않고 조금 멀리 돌아가면 아무런 해프닝 없이 지나갈 수 있다.

9. 훠궈의 예상치 못한 침투력

훠궈火锅 중에서도 마라麻辣 훠궈는 다양한 향신료를 듬뿍 넣어 만드는 육수다. 특히 향신료의 맛과 향이 진한 편으로, 마라 훠궈를 먹게 되면 고기를 구워먹을 때 몸에 배는 냄새만큼 머리카락과 옷에 냄새가 깊게 밴다. 오전이나 낮에 훠궈를 먹게 되면 이후에 관광하는 내내 마라 훠궈 향이 나는 본인을 느끼게 될 수 있으므로 최대한 저녁으로 먹는 것이 좋다.

10. 샤오롱 바오의 예상치 못한 공격

대만에서는 샤오롱 바오를 꼭 먹어야한다는 얘기를 듣고 모양이나 크기만 알아두는 여행자들이 있다. 그러나 샤오롱 바오는 육즙이 가득 담긴 만두다. 우리나라에서 만두를 먹는 것처럼 한입에 바로 넣는다면 뜨거운 육즙에 혀가 다 데일 수도 있다. 또 젓가락으로 집어 들고 한입 콱 베어 물어서도 안 된다. 샤오롱 바오 안에 있던 육즙이 치아의 압력을 받으면서 옷에 찍-하고 튈 수도 있기 때문이다.

샤오롱 바오를 먹는 방법은 이것이다. 먼저 샤오롱 바오를 숟가락에 올린 후 만두피를 살짝 찢으면 육즙이 흘러나온다. 샤오롱 바오의 육즙은 뜨겁기 때문에 육즙부터 천천히 마시는 것이 좋다. 이후 촉촉한 만두소를 취향에 따라 생강채와 함께 먹는다.

대만 자유여행자에게 도움 되는 어플

여행자들은 모든 일정을 스스로 소화해야하기 때문에 순간순간에 필요한 정보를 찾고 움직여야한다. 대만 자유 여행에서 필요한 정보를 쉽게 찾아 사용할 수 있고 장점이 많은 어플 위주로 소개했다. 각각 앱을 대만 현지에서 사용할 때의 장단점과 사용법 또한 안내해놓았으므로, 실제 조작과 비교 분석을 통해 대만 자유여행에서 사용할 앱을 선별해보자.

Google maps
전 세계 자유여행자들의 충실한 길잡이 구글맵. 대만에서는 타이베이나 타이중이 아니면 구글에서 제공하는 시간표와 현지 대중교통의 시간표가 일치하지 않는 경우가 대부분이다. 타이중은 열차와 버스 시간표, 도보 경로가 대부분 일치하므로 신뢰해도 좋다.

Taiwan Bus / BusTracker Taiwan
대만 전역의 버스와 지하철, 공공 자전거까지 알아볼 수 있는 만능 대중교통 어플이다. 영어를 지원하는 어플이기 때문에 조작도 쉽고 알아보기도 편하다. 주황색의 타이완 버스Taiwan Bus와 청록색의 버스트래커 타이완BusTracker Taiwan는 똑같은 어플인데 이름이 두 개다. 아이폰은 전자와 후자를 모두 다운받을 수 있는데 전자가 영어 안내를 더 많이 제공한다. 안드로이드는 후자의 어플만 다운받을 수 있다.

기본적으로 버스 어플이므로 버스 정보를 좀 더 많이 제공한다. 상단에는 Bicycle(공공자전거), MRT(지하철), Railway(기차), Airport Bus(공항버스), HSR(High Speed Rail(고속철))이 있다. 자전거Bicycle는 공공자전거 대여소 위치와 대여가능한 자전거 개수를 안내한다. MRT는 각 정류장을 눌러 요금과 소요 시간을 확인할 수 있으며, 첫차 막차 시간을 조회할 수 있다. 현재 시간에 출발하면 언제 도착하는 지, 몇 시 몇 분에 지하철이 있는 지 등의 시간 조회는 불가능하다.

하단에는 4종류의 버스 정보 서비스를 제공한다. routes를 누르고 버스 번호를 검색하면 정류장 명과 위치, 도착 시간을 제공한다. 니어바이Nearby는 가까운 정류장 명과 위치를 안내해준다. 디렉션directions은 구글맵을 기반으로 한 경로를 제공하며 패이버릿츠Favorites은 사용자가 저장한 버스나 정류장이 표시된다.

환승 노선도
대만 전역의 고속철과 기차, 지하철을 무려 한글로 지원한다. 몇 번만 눌러보면 쉽게 이용할 수 있을 정도로 조작법이 간편한데다 경로와 시간표, 소요시간 및 요금까지 안내한다.

아이폰과 안드로이드에서 모두 다운받을 수 있다. 그러나 이 모든 장점에 정이 떨어지게 만드는 단점이 하나 있다. 바로 일본의 제작사라는 것이다.

해당 어플이 장점은 많지만 이용하기에는 마음이 다소 불편할 수 있다. 그러나 아이폰과 안드로이드에서 다운받을 수 있는 다양한 대만 지하철 어플이 있어 대체할 수 있는 것은 많다. 또 위에서 소개한 타이완 버스Taiwan Bus와 버스트래커 타이완BusTracker Taiwan 또한 지하철 어플로 손색이 없다. 모쪼록 본인의 마음에 편한 어플을 사용하자.

Ibus

도시를 이동하는 시외버스와 고속버스를 안내하는 어플이다. 시외버스 및 고속버스를 검색하는 면에서는 타이완 버스Taiwan Bus와 버스트래커 타이완BusTracker Taiwan어플보다 좀 더 상세하다. 안드로이드와 아이폰 둘 다 다운받을 수 있으며 영어가 지원되기 때문에 사용하기 편하다. 조작법이 매우 편리한 것은 아니지만 몇 번 누르다보면 쉽게 사용할 수 있을 것이다. 메뉴는 총 5개다. 여행자가 가장 쉽고 많이 사용하는 메뉴는 버스 라인Bus Line이다. 버스 라인Bus Line에서 버스 번호를 검색하면 해당 버스가 정차하는 정류장과 정류장에 도착하는 가장 가까운 시간대를 표시한다. 하단에는 구간별 요금과 버스의 전체 시간표, 버스의 이동 경로 지도를 볼 수 있다.

니어바이Nearby에서는 현재 있는 위치에서 가까운 고속버스와 시외버스 정류장을 표시해주며, 버스 캐리어Bus carrier에서는 고속버스와 시외버스를 알파벳 순서별로, 지역 및 도시별로 나눠볼 수 있다. 익스프레스Express는 지역 및 도시별로 출발지와 도착지를 선택하여 버스 정보를 알아보는 것인데, 여행자에게는 다소 어렵고 쓸 일도 별로 없다. 마이 패이버릿츠My Favorite은 사용자가 저장한 버스나 정류장이 표시된다.

아쿠아웨더

날씨 어플은 날씨를 가볍게 체크하는 정도로 사용하는 것이 좋다. 대만 날씨는 시시각각 바뀌는 일이 많아 하늘을 직접 보는 게 가장 정확하기 때문이다. 안드로이드와 아이폰에서 다운받을 수 있는 다양한 날씨 어플 중 아쿠아웨더에서 제공하는 날씨가 조금이나마 맞는 편이기 때문에 해당 어플을 추천한다.

여행 플랫폼 어플

다양한 여행 플랫폼 어플에서는 현지 입장권이나 액티비티, 현지투어나 유심 등을 손쉽게 예약할 수 있다. 대만에서 이용할 수 있는 상품이 많이 있는 여행 플랫폼 어플은 KKday, Klook, 마이리얼트립, 와그 등이 있다.

번역기 어플

중국어를 알지 못한다면 필수적으로 다운로드받고 가야하는 번역기 어플. 번역기 어플은 대만을 여행하는 자유여행자들에게 무조건 필요한 어플이다. 한국 사람들이 자주 사용하고 쉽게 사용할 수 있는 번역기 어플은 구글 번역google translate과 파파고papago가 있다.

중국어로 말하지 않아도 할 수 있는 대만 자유 여행법

대만은 중국어를 사용하기 때문에 중국어를 잘 모른다면 여행을 가기 전부터 걱정이 될 수도 있다. 하지만 세계 어느 나라든 바디랭귀지body language는 통하는 법이며, 스마트폰 어플을 자유롭게 사용할 수 있다면 소통은 훨씬 빨라진다. 지금부터 중국어로 말하지 않아도 대만 자유 여행을 할 수 있는 방법을 안내한다.

중국어로 말하지 않아도 되는 이유

결론부터 말하자면 성조 때문이다. 성조는 중국어의 음절이 가진 소리의 높낮이를 이르는 말이다. 한국말은 특별한 억양이 없이도 의미를 전달할 수 있지만, 중국어는 성조를 제대로 표현하지 않으면 발음이 아무리 똑같아도 의미를 파악할 수 없다. 또 성조가 달라지면 본래 전하려던 말과 다른 의미가 될 수도 있기 때문에 의사소통이 제대로 이루어지지 않게 된다.

결국 여행자가 중국어 발음을 아무리 완벽하게 한다고 해도, 성조의 높낮이를 제대로 표현하지 못한다면 현지인은 알아듣지 못한다. 또는 여행자가 말한 중국어에 여행자 본인이 알지도 못하고, 의도하지도 않은 성조가 들어가게 될 수도 있다. 하지만 현지인은 본인이 들은 성조대로 의미를 파악하기 때문에 여행자의 도움 요청을 전혀 엉뚱한 방향으로 이해하고 도와주게 되는 일이 생길 수도 있다.

중국어로 말했다가 안하느니만 못하게 되는 경우가 발생한다면 오히려 다른 어려움이 여행자에게 생길 수 있다. 차라리 중국어로 말하지 않는 편이 여행자에게 더 나을 수도 있는 것이다. 그렇다면 어떻게 중국으로 말하지 않고도 현지인에게 도움을 요청할 수 있는지 알아보도록 하자.

어플을 활용해 도움 요청하기

구글맵google maps과 번역기 어플, 계산기 어플만 있다면 중국어로 말하지 않아도 대만 여행이 가능해진다. 가장 먼저 현지인에게 도움을 요청할 때는 인사를 먼저 해야 한다. 대만은 고개를 숙여 인사하는 문화가 아니다. '안녕하세요' 라는 뜻의 니하오你好만 말하면 된다.

먼저 대중교통을 타거나 길을 물어볼 때 구글맵에 표시된 관광지의 한자 이름을 보여주면 도움을 쉽게 청할 수 있다. 이때 구글맵이나 번역기의 글씨가 작기 때문에 화면을 캡쳐하고 한자 이름만 확대해서 보여주는 게 좋다.

식당이나 카페를 이용할 때도 구글맵을 이용해 쉽게 주문할 수 있다. 어떤 식당에 특정한 음식을 먹으러 가는 경우 본인이 먹고 싶은 음식이 어떤 것인지 모양새를 미리 알아놓자. 구글맵에서 해당 식당 및 카페를 검색하면 사람들이 거기서 먹은 음식 사진을 올려놓은 것을 볼 수 있다. 사진들 중 본인이 원하는 메뉴 사진을 직원에게 보여주면 중국어만 가득한 메뉴판을 헤매지 않아도 쉽게 메뉴를 주문할 수 있다.

음식을 계산할 때는 계산기 어플을 이용해 쉽게 지불할 수 있다. 영어가 가능한 직원이 아니라면 계산 금액을 중국어로 말한다. 이 때 계산기 어플을 켜서 보여주면 금액을 눌러주므로 계산기에 표시된 금액을 지불하면 된다.

특정한 도움을 요청해야할 때는 번역기를 사용하면 된다. 한국 사람들이 많이 쓰고 쉽게 쓸 수 있는 번역기 어플은 구글 번역google translate과 파파고papago가 있다. 번역기 또한 글자가 작기 때문에 확대 버튼을 눌러서 보여주는 것이 좋다.

대중교통을 탈 때

대중교통을 이용해 특정한 관광지나 역으로 가는 경우, 버스 기사나 직원에게 지명만 보여주면 쉽게 도움을 요청할 수 있다. 구글맵google maps으로 지명을 보여주거나, 번역기 어플을 사용해 본인이 가려는 곳으로 가는 방향이 맞는지 문장을 작성해 번역하고 보여주면 된다. 이 때 반드시 확대 버튼을 눌러 크게 보여주는 것이 빠른 도움을 청할 수 있는 지름길이다.

버스 기사나 직원들은 본인이 가려는 방향이 맞는다면 고개를 끄덕이고, 아니라면 고개를 젓고 다른 방향을 알려주기 때문에 꼭 중국어로 소통하지 않아도 된다. 보통 현지인이 말로 대답할 때는 두 종류가 있다. 맞으면 "뚜이對" 틀리면 "부뚜이不對" 라고 대답하거나 '네, 아니오'의 뜻인 "스是", "부스不是"로 대답한다.

111

길 물어볼 때

관광지나 식당을 찾아가려고 도보로 이동할 때, 구글맵google maps을 활용해도 정확한 위치를 찾을 수 없는 경우가 종종 있다. 이런 상황에서는 지나가는 현지인이나 근처에 있는 상점 및 식당의 직원에게 관광지 및 식당의 이름을 보여주면 된다. 물론 이때도 반드시 확대버튼을 눌러 크게 보여주어야 빠른 도움을 받을 수 있다.

대부분의 현지인들은 여행자가 가려는 곳이 쉽게 갈 수 있는 곳이라면 손가락으로 가는 방향을 알려준다. 이때 손가락으로 설명하기에 조금 어렵거나 설명이 통하지 않는 것 같다면 직접 데려다주는 현지인들이 많다. 사실 여행자가 길을 찾고 있거나 헤매고 있는 느낌이라면 지켜보고 있다가 먼저 다가와 도와주는 현지인들도 많다.

식당, 카페에서 주문할 때

어떤 식당이나 카페에 특정한 음식을 먹으러 갈 때는 본인이 주문할 음식의 한자 이름과 모양을 알아놓고 가야 주문을 쉽게 할 수 있다. 대만의 식당에서는 우리나라의 김밥천국처럼 메뉴 이름과 가격이 나열된 메뉴판 및 주문서에 체크하는 방식으로 주문하는 곳이 많다. 식당에서 메뉴판 및 주문서를 받으면 미리 알아놓은 메뉴의 한자 이름을 찾아 체크한후 직원에게 주면 된다. 만약 찾을 수 없다면 직원에게 본인이 주문하고 싶은 음식의 한자이름을 크게 보여주자. 직원이 알아서 찾아 표시하고 주문해준다.

메뉴판이나 주문서를 굳이 보지 않고 사진만 보여줘도 쉽게 주문할 수 있다. 구글맵google maps에서 해당 식당 및 카페를 검색하면 해당 점포를 방문했던 사람들이 그곳에서 먹은 음식 사진을 올려놓은 것을 찾을 수 있다. 여러 가지 사진 중 본인이 주문하려는 메뉴 사진을 손가락으로 가리켜 직원에게 보여주면 주문을 쉽게 할 수 있다.

음식을 계산할 때는 대부분의 직원이 중국어로 계산 금액을 말한다. 알아들을 수 없는 경우가 대부분이므로 계산기를 켜서 보여주자. 직원들은 금액을 써달라는 것임을 빠르게 이해한 후 금액을 눌러준다. 여행자는 계산기에 표시된 금액을 보고 그대로 지불하면 된다.

특별한 도움을 요청할 때

번역기가 무조건 필요한 상황이다. 그러나 문장이 길면 번역기가 엉터리로 번역하기 때문에 현지인이 이해하지 못할 때가 많다. 문장을 짧게 끊어 보여주거나, 부연 설명 없이 원하는 문장만 적어서 보여주는 것이 좋다. 부연 설명이 없으면 예의가 아니지 않을까 싶겠지만, 현지인들은 여행자가 도움을 요청할 때 대충 어떤 상황인지 알기 때문에 크게 신경 쓰지 않는다. 오히려 미안할 정도로 친절하게 도와줄 것이다.

배틀트립 타이중 일정 따라가기

여행 예능 프로그램으로 인기리에 방영중인 KBS 〈배틀트립〉에 타이중이 떴다! 개그우먼 김지민과 홍현희는 멍 때리는 여행지라는 테마를 갖고 '개그우멍 투어'라는 이름으로 타이중을 다녀왔다. 일정은 총 2박 3일 일정으로, 1일차는 타이중 시내 중심으로, 2일차는 처청과 일월담을 다녀와 고미습지로 일정을 마무리했다.

1일차 현희 투어

김지민과 홍현희는 1일차에 타이중 시내 중심으로 관광을 진행했다. 유명한 관광지를 들르기 보다는 젊은이들이 선호하는 타이중의 유명한 볼거리, 음식점과 카페를 중심으로 관광하였으므로 타이중의 젊은 감성을 원하는 여행자들이 참고할만하다.

1. 타이중 옛 기차역

공항에 도착한 김지민과 홍현희는 택시를 타고 바로 타이중 기차역으로 향했다. 김지민과 홍현희는 2010년대까지 사용되고 운영을 중단한 타이중 옛 기차역과, 바로 옆에서 운영 중인 신(新) 기차역을 둘러보고 앞에 있는 조형물과 사진을 찍었다.

주소_ 台中市中區台灣大道一段1號 **위치_** 타이중역 옆 **전화_** 04-2222-7236

2. 산하로육반(山河魯肉飯)

타이중 기차역을 둘러본 김지민과 홍현희
가 향한 곳은 타이중 제 2시장이다. 타이중
제 2시장은 현지인들이 아침식사를 해결하
는 진짜 현지인 맛집이 즐비한 곳이다. 김지
민과 홍현희는 타이중 제 2시장에서 제일
유명한 돼지고기 덮밥집인 산하로육반을
방문해 저렴한 가격에 맛있고 배부른 식사
를 즐겼다.

주소_ 台中市中區三民路二段85號98攤位
위치_ 타이중역에서 약 1㎞ / 타이중역 앞 Taichung Station (Taiwan Blvd.)
　　　臺中車站(臺灣大道) 정류장에서 8, 9, 14번 버스 탑승 후 2nd Market (Taiwan Blvd.)
　　　第二市場(臺灣大道) 정류장에서 하차하여 도보 약 2분
시간_ 목~화 05:30~15:00 / 수요일 휴무
요금_ 루로우판(魯肉飯) 산하로육반 NT$55
전화_ 04-2220-6995

3. 궁원안과 / 제4신용합작사

밥으로 든든하게 배를 채운 김지민과 홍현희는 아이스크림을 먹으러 궁원안과로 향했다.
궁원안과는 과거 안과로 사용했던 건물을 개조한 상점 겸 음식점이다. 궁원안과에서 가장
유명한 것은 아이스크림이지만, 앉아서 먹을 자리가 없다. 대신 궁원안과 인근에 과거 은
행으로 사용했던 건물을 개조해 만든 궁원안과 2호점인 제4신용합작사가 있으며, 제4신용
합작소에서는 앉아서 아이스크림을 먹을 수 있어 김지민과 홍현희도 이동했으며, 궁원안
과에서 판매하는 아이스크림과 동일한 아이스크림을 만나볼 수 있다.

궁원안과(宮原眼科 / 꽁위엔옌커)

홈페이지_ miyahara.com.tw
주소_ 台中市中區中山路20號
위치_ 타이중 옛 기차역에서 도보 약 3분
시간_ 10:00~22:00
요금_ 아이스크림 한 스쿱 NT$90
전화_ 04-2227-1927

제4신용합작사
(台中市第四信用合作社 | 타이쭝시디스신용허즈어셔)

홈페이지_ miyahara.com.tw
주소_ 台中市中區中山路72號
위치_ 궁원안과에서 도보 약 3분
시간_ 10:00~22:00
요금_ 아이스크림 한 스쿱 NT$90
전화_ 04-2227-1966

4. 심계신촌(審計新村)

디저트까지 해치운 김지민과 홍현희는 타이중의 감성 핫플레이스, 심계신촌으로 향했다. 과거 심계처라는 정부 부처 직원들의 기숙사였던 장소를 개축한 곳으로, 창의적이고 독특한 감각을 지닌 타이중의 청년들이 들어와 다양한 컨셉의 상점과 식당, 카페 등을 열었다. 평일 주말 할 것 없이 플리마켓이 열리며(우천시 취소), 해가 질 때쯤이면 심계신촌의 한가운데를 장식하는 전구들에 불이 켜져 더 감성적인 분위기가 된다.

홈페이지_ facebook.com/shenji368 **주소_** 台中市西區民生路368巷 **위치_** 국립대만미술관에서 도보 약 7분
시간_ 상점마다 운영시간 상이함

5. 수화탄화고어(水貨炭火烤魚)

심계신촌에서 감성 충전을 마친 김지민 과 홍현희는 타이중 첫날밤의 저녁 식사 를 위해 수화탄화고어로 향했다. 수화탄 화고어는 번쩍거리는 매장 인테리어부 터 시작해 생선찜에 다양한 토핑을 올려 넣어 먹는 생선찜 전문점으로, 생선찜이 오래되고 칙칙한 식당에서 어르신들이 먹는 음식이라는 통념을 깨부순 현대적 인 감각이 돋보인다.

마라생선찜은 대만식과 쓰촨식 중에서 고를 수 있는데 대만식은 한국식 매운 라면 정도의 맛이고 쓰촨식은 맵고 톡쏘는 마라 맛이 많이 나므로 입맛에 맞게 선택하는 것이 좋다.

홈페이지_ seahood.com.tw **주소_** 台中市西區公益路168號 **위치_** 친메이 쇼핑몰에서 도보 약 9분
시간_ 11:00~15:00, 17:30~24:00 **요금_** 음식류 NT$318~ **전화_** 04-2321-0187

> **2일차 현희 투어**

김지민과 홍현희는 2일차에 타이중 근교 중심으로 관광을 진행했으며, 타이중역→처청→ 일월담→고미습지→타이중 시내 순으로 이동했다. 처청은 얼쉐이~처청 구간 지선인 지지 선을 이용해야하기 때문에 타이중역에서 기차를 타고 얼쉐이二水역으로 이동한 후 얼쉐 이역에서 지지선으로 환승하여 처청으로 향했다. 대중교통을 이용할 때 타이중역에서 처 청으로 가려면 약 두시간정도 걸리며, 일월담에서 고미습지로 가려면 약 4시간 정도 걸린 다. 대중교통 이용 시 이동에 다소 무리가 있는 일정이기 때문에 택시를 적절하게 이용하 거나 일정을 조절해야한다.

1. 처청 - 임반도체험공장(林班道體驗工廠)

타이중역에서 처청까지 즐거운 기차 여행을 하며 도착한 김지민과 홍현희는 처청역 주변 의 기찻길과 야외 열차 전시관을 둘러본 후 목공체험을 하러 처청역 왼편에 있는 임반도체 험공장으로 들어갔다. 처청은 과거 목업으로 유명했던 곳으로 다양한 목공 체험을 할 수 있는 곳이다. 김지민과 홍현희는 임반도 체험공장에서 미리 만들어진 커플 목각인형, 목각 호루라기 등의 목공 아이템에 달궈진 인두로 나무에 그림을 그리는 체험을 했다.

주소_ 南投縣水里鄉民權巷4號 **위치_** 처청역 왼편
시간_ 월, 수~금 09:30~18:00 / 토, 일 09:00~19:00 / 화요일 휴무 **요금_** 목공아이템 NT$50~
전화_ 049-277-7462

2. 목차방(木茶房/Cedar Tea House)

체험을 마친 김지민과 홍현희가 향한 곳
은 나무통 도시락 음식점이었다. 처청에
서는 과거 인부들이 먹었다던 나무통 도
시락을 재현하여 다양한 메뉴의 대만식
도시락을 먹어볼 수 있지만, 목차방에서
는 좀 더 깔끔하고 정갈한 도시락 세트
를 만날 수 있다. 김지민과 홍현희는 훈
제 닭다리 도시락과 호박 버섯 도시락을
먹었다. 나무통 도시락이 아니더라도 식

사와 차 및 간단한 디저트를 즐길 수 있으며, 1인당 NT$150의 최소주문금액이 있다.

홈페이지_ facebook.com/CedarTeaHouse **주소_** 南投縣水里鄉民權巷5號
위치_ 처청역에서 도보 약 4분 **시간_** 월, 수~금 10:00~18:00 / 토,일 10:00~18:30 / 화요일 휴무
요금_ 나무통 도시락 NT$390
전화_ 049-277-2873

3. 일월담 - 샹산관광센터(向山遊客中心)

배를 채운 김지민과 홍현희는 일월담으로 향했다. 일월담은 대만 8경 중 하나로 알려질 정도로 아름다운 풍경을 자랑하며, 호수 가운데에 위치한 라루섬拉魯島을 기준으로 동쪽은 달을, 서쪽은 해를 닮았다 하여 일월담이라는 이름이 붙여졌다. 샹산자전거길은 CNN에서 선정한 세계 10대 아름다운 자전거길에 이름을 올린 곳으로, 김지민과 홍현희는 샹산관  광센터 주변에 있는 자전거 길을 걸어서 산책하며 일월담의 풍경을 즐겼다. 자전거는 쉐이셔관광센터나 이다샤오 먹거리 골목 끝(이다샤오 선착장 반대편) 주변에 대여점이 많다.

주소_ 南投縣魚池鄉中山路599號 **위치_** 쉐이셔관광센터에서 3㎞, 타이완 하오싱버스 6670 탑승 후 샹산관광센터(向山遊客中心) 하차(하루 4편 운행) **시간_** 09:00~17:00 **전화_** 049-285-5668

4. 고미습지(高美濕地)

일월담의 푸른 풍경을 즐긴 김지민과 홍현희가 향한 다음 장소는 따뜻한 풍경을 즐길 수 있는 고미습지였다. 고미습지는 외국인 관광객보다는 대만 현지인 관광객이 더 많을 정도로 대만 현지인들에게 인기 있는 곳이다. 고미습지는 1500헥타르의 광활한 습지로, 갯벌은 나무 데크 끝에서 신발을 벗고 들어갈 수 있다. 나  무데크는 개방 시간이 정해져있으므로 방문 전 항상 확인해야한다. 해가 지는 시간에 썰물로 갯벌의 물이 빠져 찰랑거릴 때 역광으로 사진을 찍으면 반영 사진을 찍을 수 있어 대만의 우유니라고 불리기도 한다.

홈페이지_ gaomei.com.tw **주소_** 台中市清水區美堤街
위치_ 기차 이용 : 타이중 기차역에서 칭수이(淸水車站)역까지 이동한 후 178,179 버스 탑승 후 종점에서 하차
버스 이용 : 타이중 제 2시장 버스 정류장 2nd Market (Taiwan Blvd.) 第二市場(臺灣大道)에서 309번 버스 탑승 후 No. 18 Windmill(18號風車) 정류장에서 하차하여 현수교를 건너 나무데크 입구까지 도보로 약 20분, 또는 현수교를 건넌 후 인근의 U-Bike를 대여하여 자전거로 이동 후 습지 입구 인근의 U-Bike 정차장에 반납
시간_ 나무 데크 개방 시간 : 매일 상이 **전화_** 04-2656-5810

4. 이딩훠샤 타이중기함점(易鼎活蝦 台中旗艦店)

대만의 새우요리 전문 체인점이다. 관광객보다는 현지인들에게 많이 알려진 곳으로, 타이중에서 시작해 타이베이까지 지점을 확장한 곳이다. 김지민과 홍현희는 홍합찜, 후추새우구이, 레몬새우구이, 무떡과 함께 생맥주를 주문해 맛있게 먹었다. 평일에는 브레이크 타임이 있어 영업시간에 주의해 방문해야하며, 주말에는 브레이크 타임 없이 쭉 영업한다. 교통이 다소 불편하므로 방문 시 택시를 타는 것을 추천한다.

홈페이지_ top-d.com.tw   **주소_** 台中市西屯區甘肅路二段100號
위치_ 펑지아 야시장 입구에서 약 1km   **시간_** 월~금 11:30~14:00, 17:00~25:00 / 토, 일 11:00~25:00
요금_ 새우구이류 NT$420~   **전화_** 04-2311-3202

120

台中市

타이중 | Taizhong

타이중 IN

해외여행이 대중화됨에 따라 가깝고 저렴하게 다녀올 수 있는 여행지에 대한 선호도가 높아지면서 대만 여행에 대한 관심이 점차 늘어나고 있다. 특히 대만 여행지의 최강자는 본래 타이베이臺北였지만, 대만 중부에 위치한 타이중臺中은 최근 다양한 여행 예능 프로그램에 지속적으로 노출되면서 중이중 여행에 대한 사람들의 관심이 점차 높아지고 있다.

타이중臺中은 화려하고 번화한 도시 풍경과 함께 옛 풍경을 간직한 도시와 광활하고 푸른 대자연까지 만나볼 수 있는 지역이다. 타이중을 방문한 여행자들은 타이중이 주는 다양하고 색다른 매력을 느끼게 될 것이다.

국내 출발 → 중이중 도착

타이중臺中에 대한 관심이 높아짐에 따라 인천국제공항과 김해국제공항에서 타이중으로 가는 식항 노선이 늘어나고 있다. 인천국제공항에서는 아시아나항공, 티웨이 항공을 이용해 타이중에 갈 수 있으며, 김해국제공항에서는 티웨이 항공을 통해 타이중으로 갈 수 있다.

대만 내 출발 – 타이중 도착

대만의 고속철도(HSR)을 이용하면 타이중으로 빠르게 도착할 수 있다. 타이베이臺北에서는 타이베이역臺北車站에서 열차에 따라 타이중까지 1시간 내외로 도착할 수 있다. 보통 1시간마다 3편~6편의 열차를 이용할 수 있고 요금은 스탠다드석 NT$700, 비즈니스석은 NT$1,250이다.

두 번째로 타이난臺南에서 출발할 경우 타이난역臺南車站에서 약 10㎞ 떨어진 고속철 타이난역高鐵臺南站에서 열차에 따라 타이중臺中까지 40분 내외로 도착할 수 있다. 보통 1시간마다 2편~6편 성노의 열차를 이용할 수 있으며, 요금은 스탠다드석

NT$650, 비즈니스석은 NT$1,180이다.
세 번째로 가오슝^{高雄}에서 출발할 경우, 신쭤잉역^{新左營站}에서 열차에 따라 타이중^{臺中}까지 1시간 내외로 도착할 수 있다. 보통

1시간마다 3편~7편 정도의 열차를 이용할 수 있고 요금은 스탠다드석 NT$790, 비즈니스석은 NT$1,390이다.

일반철도(TRA)

대만의 일반철도인 TRA는 크게 구간차(區間車/취젠처), 거광호(莒光號/쥐광하오), 자강호(自強號/쯔창하오)3가지 종류로 나누어진다. 첫 번째로 구간차는 모든 역에 정차하는 완행열차로 가장 저렴하다. 지하철과 똑같은 구조로 생겨 지정석이 없으며 교통카드로 탑승 가능하다.

두 번째는 중소 도시에 정차하는 준급행 수준의 거광호 열차로, 지정석이 있다. 구간차에 비해 조금 더 비싸며 조금 더 빠르다. 교통카드로 탑승은 가능하지만, 개찰구에서 교통카드를 태그할 때 구간차 요금으로 지불되기 때문에 검표원의 검사 시 추가금액을 내거나 표를 구매한 후 추후 카드 요금을 환불받아야한다. 처음부터 표를 구매하고 좌석을 지정한 후 탑승하는 것을 권장한다.

세 번째는 규모 있는 중소 도시에만 정차하는 급행 수준의 자강호로 지정석이 있다. 구간차, 거광호에 비해 좀 더 비싸고 좀 더 빠르다. 교통카드로 탑승했다면 검표원의 검사 시 거광호와 똑같은 절차를 밟아야한다.

자강호는 다시 태노각(太魯閣/타이루거)과 부요마(普悠馬/푸요마)로 나뉘는데 이들은 중, 대도시에 정차하는 급행열차다. 다른 일반철도 열차들에 비해 가격이 비싸고 교통카드로도 탑승이 불가하다.

타이중 입국 절차

검역대

타이중국제공항臺中國際機場에 도착해 비행기에서 내리면 arrivals 안내 표지판만 열심히 따라가면 된다. 입국 심사 전 가장 먼저 마주치는 것은 검역대다. 보통 검역대는 그냥 지나가는 경우가 대부분이다. 혹 체온이 높으면 적외선감지 카메라에 탐지되기 때문에 체온 측정을 요구할 수 있다. 고열일 경우 병원에 방문해 처방을 받아야야하는데 이에 따르지 않으면 벌금을 낼 수도 있다. 출국 전 열이 있을 경우 해열제를 미리 먹고 출발하는 것도 방법이다.

입국심사

타이중국제공항臺中國際機場 입국심사장은 유인입국심사게이트와 자동출입국심사게이트로 나눠져 있다. 국내에서 온라인 입국신고서를 작성하지 않고 기내에서 종이 입국 신고서를 작성했다면 ' Non-Citizen'이라고 표시된 게이트 앞에 줄을 서면된다.

중이중 입국심사 절차

1. 입국 심사관에게 여권과 비행기 티켓, 입국신고서를 제출한다. 여권을 제출할 때는 여권 커버를 미리 제거한 후 제출하자.
2. 입국 심사관의 안내에 따라 (안경을 벗고) 카메라 렌즈를 본 후, 양손 검지를 지문 인식기 위에 올려놓는다.
3. 입국 심사관과 인터뷰를 한다. 물론 대부분 인터뷰 없이 지나가지만 며칠 머무르는지 물어보거나, 돌아가는 티켓을 보여 달라고 요청할 수도 있다. 당황하지 않고 본인의 체류 일수와 돌아가는 항공권을 보여주면 된다.
4. 입국 심사관이 여권과 비행기 티켓을 돌려주면 입국 심사가 끝난다.

대만 자동출입국심사

대만을 여행하는 한국인의 수가 많아짐에 따라 2018년 6월부터 대한민국 국적의 전자여권을 소지한 방문객은 자동출입국심사를 이용할 수 있게 됐다. 출발 전 온라인 입국신고서를 작성하면 비행기에서 배부하는 종이 입국신고서를 작성하지 않아도 되며, 대만 공항 도착 후 자동출입국심사를 신청하면 입국심사 줄을 서지 않고 전용 게이트로 빠르게 나갈 수 있다.

■ **대만 자동출입국 이용 조건**
1. 만 17세 이상의 전자여권 소지자
2. 신장 140CM 이상인 자
3. 여권의 기간만료일이 6개월 이상 남아 있는 자

■ **타이중국제공항 자동출입국심사 이용 방법**
1. 국내에서 온라인 입국신고서를 미리 작성한다.
2. 타이중국제공항(臺中國際機場) 도착 후 검역대를 지나 자동출입국심사 등록 센터(E-gate Enrollment Counter)로 향한다. 타이중국제공항의 자동출입국심사 등록 센터는 입국 신고장의 오른편에 있다.
3. 자동출입국심사 등록 센터에서 직원의 안내에 따라 안면 사진과 지문을 등록한다. 여권에 E-GATE 스티커를 부착해주고 도장을 찍어주면 자동출입국심사 등록이 완료된 것이다. 한번만 등록하면 다음 대만 입국 시 온라인 입국신고서만 작성하면 된다.
4. E-GATE로 이동한다. 입국 신고장을 정면으로 봤을 때 가장 오른쪽 편에 있는 게이트다. 우리나라와 똑같이 여권을 스캔하면 첫 번째 자동문이 열린다. 다음으로 E-gate Enrollment Counter에서 등록한 손가락의 지문과 얼굴을 인식하면 두 번째 자동문이 열리며 자동출입국 심사가 끝난다.

■ **온라인 입국 신고서 작성 페이지**
한글 지원은 안 되지만 영어가 지원되므로 쉽게 작성할 수 있다. 대부분의 항목이 종이 입국 신고서와 똑같지만, 다른 점은 마지막 단계에서 이메일 주소와 보안코드를 입력하는 것뿐이다.
▶ https://niaspeedy.immigration.gov.tw/webacard/

위탁수화물 찾기

입국심사게이트를 나와 에스컬레이터를 타고 밑으로 내려가면 위탁 수화물 컨베이어 벨트가 바로 보인다. 벨트 상단에는 비행기 편명과 각 비행기의 수화물이 나오는 벨트 번호가 표시된 모니터가 있으므로, 본인의 탑승했던 편명을 찾아 해당 컨베이어 벨트로 가면 된다.

세관 검사

세관에서는 모든 짐을 엑스레이 검사대에 넣어 꼼꼼하게 살핀다. 반입 금지 품목의 벌금을 물지 않을 수 있는 마지노선이기 때문에, 짐을 넣기 전 한번만 더 가방에 들어있는 물건들을 생각해보자. 마음에 걸리는 것이 있다면 먼저 꺼내서 세관원에게 보여주는 것이 좋다.

엑스레이 검사 후 세관원이 보다 정확한 확인을 위해 가방을 열겠다고 할 수도 있다. 본인이 열려고 하면 제지하거나 의심을 살 수도 있으므로 고개만 끄덕이면 된다. 가방 확인이 다 끝나면 가방을 닫고 돌려준다. 세관 검사가 끝나면 모든 입국 절차가 끝이므로, 앞에 있는 출구를 따라 나가면 된다.

타이중 입국 시 반드시 주의해야할 사항

아프리카돼지열병으로 인한 모든 음식물 및 생물 반입 금지

2018년 중국에서 처음 발생한 아프리카돼지열병은 세계 각지로 퍼져 여러 나라에 큰 피해를 입혔다. 한국도 2019년 9월 발생한 아프리카돼지열병으로 인해 수십만 마리의 돼지가 폐사돼 육류가공품에 대한 반입 및 반출을 철저히 통제하고 있다.

특히 대만은 과거 구제역으로 큰 피해를 입은 나라로 아프리카돼지열병 전염 및 확산을 방지하기 위해 특별한 주의를 기울이고 있다. 대만은 최근 한국에서 아프리카돼지열병이 발생하자마자 육류 가공품 반입에 대한 벌금을 부과하기 시작했는데, 벌금의 액수는 한화로 약 700만원에서 3,000만원대로 상상을 초월하는 금액이다.

현재 대만은 육류가공품 뿐만이 아니라 각종 야채와 과일 같은 음식물부터 시작해 살아있는 식물이나 씨앗을 반입해도 벌금을 부과하고 있는 실정이다. 타이중국제공항(臺中國際機場)에서는 세관에서 모든 짐을 엑스레이로 촬영하여 물품을 검사한다. 세관 검사 이전에 자진 신고하면 벌금이 부과되지 않으며, 세관원에 의해 반입 금지 품목이 발견됐다면 벌금이 부과된다. 본인은 반입할 의도가 없었고, 본인의 가방에 반입 금지 음식물이 있었는지도 몰랐다 하더라도 반입 시도로 처리된다.

반입 금지 품목을 반입했을 때의 벌금은 반입 품목 및 무게, 그리고 반입 횟수에 따라 차등 부과되나 최대 NT$1,000,000(한화 약 3,800만원)까지 부과된다. 벌금은 현장에서 즉시 납부하거나, 고지서를 발급받은 후 시내에서 타이완 은행을 찾아가 납부해야한다. 납부하지 않고 출국하면 자택으로 고지서를 보내주는데 이를 납부하지 않으면 추후 대만 입국 금지 처분이 될 수 있다.

타이중국제공항(臺中國際機場)에 입국하자마자 당황스러운 일이 생기지 않도록 어떠한 음식물도 가져가지 않는 것이 중요하다. 짐을 쌀 때 음식물을 챙기지 않았더라도, 국내 출발 공항에서 어떤 음식물을 사고 남은 것을 가방에 넣어놓았다가 그 사실을 깜빡 잊을 수도 있다. 출발 공항에서 음식물을 구매했다면 무조건 다 섭취하고 탑승하는 것이 좋다. 기내식도 안심해서는 안 된다. 기내식으로 제공돼도 가지고 나온 것은 본인이기 때문에 벌금을 낼 수도 있다. 기내식으로 나온 어떤 음식물도 챙겨나오지 말자.

반입 금지 품목 : 모든 음식물 및 생물
- 육류 및 육류 가공품(햄, 소시지, 라면, 육포, 통조림, 베이컨, 소고기 볶음 고추장 등)
- 난류(계란, 오리알, 거위알 등)
- 과일(사과, 오렌지, 바나나 등)
- 야채(채소 및 씨앗 등)

공항에서 시내 IN

버스

타이중국제공항臺中國際機場에서 타이중臺中 시내로 갈 때는 버스를 이용해 쉽게 이동할 수 있으며, 도로 사정에 따라 1시간 조금 넘게 소요된다. 버스 요금은 현금과 교통카드 두 가지로 지불 할 수 있다. 현금 지불 시 거스름돈은 돌려주지 않으므로 주의하는 것이 좋으며, 기본요금 NT$20부터 시작해 거리병산제로 운영된다.

타이중국제공항臺中國際機場에서 지하 1층으로 내려간 후 버스 승차장에서 9번, 302번 버스, A1~3번 버스를 타면 타이중 시내까지 갈 수 있다.

302번 버스와 9번 버스는 배차가 1시간에 2~3대 정도지만 A1~3번 버스는 한 시간에 1대다. 또 302번 버스와 A1~3번 버스는 타이중 시내까지 1시간 정도 소요되지만 9번 버스는 정차장이 많아 타이중역까지 가는데 1시간 30분 정도 소요된다.

특히 A1~3번 버스를 성수기에 이용할 예정이라면 홈페이지에서 예약하는 것이 좋으며, 출발일 최소 5일 전에 예약을 해야 한다. A1번 버스는 타이중역 인근의 first squre 정류장을 거쳐 타이중 공원까지 운행하며, A2번 버스는 타이중역까지, A3번 버스는 펑지아 야시장까지 운행한다. 요금은 성인 NT$100이며 6세 이하 및 65세 이상, 장애인은 NT$50이다.

▶A1~3번 버스 통합 예약 홈페이지
jobus.tw/product-category/bustrip/taichung/

택시

버스와 마찬가지로 지하 1층으로 내려가면 택시 승차장이 있다. 타이중국제공항臺中國際機場에서 타이중 시내까지는 30분 만에 편하고 빠르게 갈수 있지만, NT$400~500의 요금이 나온다는 것이 단점이다.

사진으로 먼저 만나는 타이중 국제공항에서 버스 및 택시 승차장 이동 방법

1. 비행기 도착장(Arrivals Hall)을 빠져나와 오른편에 있
   는 무빙워크를 타고 지하로 이동

2. 건물에서 나와 버스 탑승구역(Bus Boarding Area),
   택시 승차장(Taxi Stand) 이정표를 따라 직진하면 택
   시 승차장이 먼저 나옴

3. 택시 승강장을 지나쳐 더 직진하면 버스 승차장 대기
   소가 나오며, 대기소로 들어가 반대편 출구로 나가면
   버스 승차장이 나옴.

시내 교통

시내 버스

타이중臺中은 시내버스 노선이 잘 구축된 편이다. 시내버스의 기본요금은 현금 지불 기준으로 NT$20이며, 교통카드를 이용하여 버스에 탑승할 경우 10㎞ 미만의 거리는 요금이 부과되지 않는다.

요금 지불 방법은 우리나라처럼 현금을 내거나 승차 및 하차 시 단말기에 교통카드를 태그하면 된다. 현금을 낼 때는 거스름돈을 돌려주지 않기 때문에 딱 맞춰 준비하는 것이 좋다.

버스는 타기만 하면 타이중臺中 시내 곳곳과 관광지에 쉽게 닿을 수 있다는 장점이 있지만, 가장 큰 단점은 배차 간격이 다소 길다는 것에 있다. 시내버스를 이용하려면 구글맵google maps으로 본인의 목적지까지의 경로를 검색한 후 해당 정류장으로 이동하여 해당 버스를 탑승하면 된다. 구글맵에 나오는 버스 도착 정보는 신뢰해도 좋으나, 이동 시간은 좀 더 적게 걸리는 편이다.

버스가 올 때는 멀리서 보일 때부터 손을 들어 탑승 의사를 표시해야한다. 버스가 오른쪽 깜빡이를 밝히며 인도 가까이로 차선을 바꾸면 해당 정류장에 정차한다는 뜻이므로 그 때 손을 내리면 된다. 손

을 들어 표시하지 않으면 탑승 의사가 없는 줄 알고 지나가버리며, 정류장에 가까이 도착했을 때 손을 들어 표시하면 태워주지 않는 경우가 있다. 밤에는 어둡기 때문에 손을 들어도 버스 기사가 못보고 지나칠 수도 있으므로 손을 흔들면서 표시하는 것이 좋다.

버스에서 내리는 방법은 우리나라와 똑같이 버스 안에 있는 벨을 누르면 하차할 수 있다. 버스 앞쪽에는 정류장 표시 기계가 있는데 영어 정류장 명도 표시된다. 해당 정거장에 도착하기 전에 해당 정거장의 이름이 표시되므로, 구글맵google maps으로 본인이 내려야하는 영어정류장 명을 찾아놓고 일치하는 영어가 나오면 벨을 누르고 하차하면 된다.

▶타이중 시내버스 홈페이지
http://citybus.taichung.gov.tw/cms/en/

U-BIKE

타이중臺中의 공공 자전거로 타이중 시내 곳곳과 관광지 인근에서 쉽게 찾을 수 있다. 버스를 이용한 관광이 다소 불편한 곳을 구석구석 돌아다니고 싶을 때 좋다. 대여 및 반납

방법은 자전거 정차소에 있는 기계에서 할 수 있으며, 영어가 지원되므로 어렵지 않게 빌리고 반납할 수 있다.

U-BIKE는 이지카드나 아이패스로도 결제할 수 있으나 현지 번호로 인증이 필요하다. 번호를 사용할 수 있는 유심이 없다면 신용카드(VISA/MARSTER/JCB/UnionPay)로 결제하면 된다. 30분 이내는 무료. 4시간 이내는 30분마다 NT$10, 4시간~8시간 이용 시 30분마다 NT$20, 8시간 이상은 30분마다 NT$40으로 이용할 수 있다. 대여 시 보증금 형식으로 NT$2,000을 결제하지만, 반납이 제대로 되면 1~2주 이내에 승인 취소가 되므로 놀라지 말자.
눈에 보이는 정차소에서 바로 자전거를 대여하거나 반납할 수도 있지만, 어플에서 정차소를 찾아 대여하거나 반납할 수 있다. 안드로이드의 구글 플레이 스토어 Google play store 애플의 앱 스토어App store에

교통카드 대여 방법

1. 키오스크의 English 버튼을 눌러 영문 버전으로 변경한 후 BIKE RENTING을 누른다.
2. Join member를 누르면 이용 시간별 결제 금액과 대여 전 자전거 상태를 체크하라는 문구가 나온다. Confirm을 누르고 이동한 후 서비스 약관에 대한 안내가 나오면 하단 I have read and agree above service terms 앞의 회색 박스를 터치하여 체크한 후 Agree 버튼을 눌러 다음으로 이동한다.
3. 이지카드 번호와 핸드폰 번호를 입력한다. 핸드폰으로 온 인증번호를 입력하고 비밀번호를 입력하면 가입이 완료된다.
4. 원하는 자전거 위치로 이동해 센서에 카드를 태그하면 대여가 완료된다.

반납 방법

1. 정차소를 찾고 빈 곳에 자전거를 밀어 넣는다.
2. 자전거가 꽂히는 기계에 초록색 불이 들어오면 제대로 반납된 것이다. 신용카드로 대여했다면 정차소에 밀어 넣기만 하면 되고, 교통카드로 대여했다면 자전거를 밀어 넣고 이지카드를 센서에 태그하면 반납이 완료된다.

잠금 방법

자전거 바구니 앞에 있는 와이어를 쭉 잡아당겨 앞바퀴에 있는 잠금장치에 꽂는다. 반대편에 있는 열쇠를 close로 돌리고 열쇠를 빼서 보관한다.

서 앞서 소개한 타이완버스Taiwan bus나 버스 트래커 타이완Bus Tracker Taiwan을 다운받으면 가까운 정차소와 남아있는 자리를 찾아볼 수 있다.

택시

타이중臺中에서 가장 편리한 교통수단이지만 가장 비싼 교통수단이다. 기본요금은 NT$85로 1.5㎞까지 추가 요금 없이 가며,

주행 거리가 1.5㎞가 넘게 되면 250m마다 NT$5가 추가된다. 23:00~06:00의 야간 및 새벽 시간에는 20% 할증이 붙는다.

택시를 이용할 때는 본인이 가려는 목적지의 한자명을 크게 보여주어야 한다. 유명한 호텔이나 관광지에 간다 해도, 본인의 중국어 발음에 의도하지 않은 성조가 들어간다면 전혀 다른 곳으로 갈 수도 있다.

아이패스와 이지카드에 대한 모든 것

아이패스와 이지카드의 개념

한국 여행자들이 대만에서 사용하는 대표적인 교통
카드 회사는 아이패스와 이지카드가 있다. 우리나
라의 교통카드 양대산맥이 티머니Tmoney와 캐시비
cashbee인 것과 비슷하다. 아이패스는 영어로는 아이
패스i-pass, 한자로는 一卡通으로, 부를 때는 이카통
이라고 부른다. 이지카드는 영어로는 이지카드easy
card, 한자로는 悠遊卡, 부를 때는 요요카라고 부른다.

아이패스 카드

아이패스와 이지카드는 교통카드를 넘어 사용처가
굉장히 광범위하다. 관광객이 주로 사용할 수 있는
기능으로는 교통 카드 기능부터 시작해 관광 명소
에서 티켓을 구매하거나, 편의점에서 물건을 구매할
때, 제휴된 프랜차이즈 음식점 및 카페와 마트 등에
서 음식물이나 물품을 구매할 때 사용할 수 있다.

이지 카드

아이패스와 이지카드의 공통점

아이패스와 이지카드는 타이중臺中의 버스와 기차(구간차만 가능), 자전거 등 교통수단을
이용할 때 사용 가능하며, 둘 다 카드 구입비 NT$100을 내고 구매할 수 있다. 충전식 카드
기 때문에 구매와 동시에 충전해서 사용해야하며, 추후 금액이 모자라면 편의점
(7-ELEVEN, FamilyMart, Hi-Life, OK mart)에서 금액을 충전하면 된다.

아이패스와 이지카드는 카드 잔액 환불이 가능하며 환불 시 알아둘 점 또한 3가지로 내용
은 똑같다. **첫번째**는 먼저 아이패스와 이지카드는 잔액 환불만 신청해도 추후 카드 사용이
불가능하다. 그러나 아이패스는 추후 카드를 사용하고 싶을 때 NT$20을 내면 재사용 가능
하며, 이지카드는 한 번 잔액을 환불하면 아예 재사용하지 못한다.

두 번째는 3개월 미만 및 5회 미만 사용 시 카드에 남아있는 금액에서 수수료 NT$20을 차
감하고 돌려준다. 한 개의 조건이 아닌 2개의 조건, 즉 3개월 이상 사용하고 5회 이상 사용
해야 수수료를 차감하지 않는다.

세 번째는 두 카드 모두 처음에 카드를 구입할 때 냈던 NT$100은 환불되지 않는다. 우리나
라의 티머니Tmoney와 캐시비cashbee처럼 카드를 구입할 때 사용한 돈은 구입비 일뿐, 환불은
불가하다.

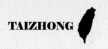
두 카드 모두 타이중국제공항臺中國際機場 입국장과 출국장에 있는 부스에서 구매해 바로 사용할 수 있으며, 환불은 아래 안내된 곳에서만 받을 수 있다.

타이중국제공항 입국장 부스

타이중국제공항 출국장 부스

환불 장소
이지카드 : 타이중객운 터미널 2층(台中市中區三民路二段25號)
아이패스 : 타이중U버스 터미널(台中市東區新民街88號)

아이패스와 이지카드의 차이점
아이패스와 이지카드의 대표적인 차이점은 각각의 카드가 제휴하고 있는 회사가 다르다는 것이다. 프랜차이즈 음식점 및 카페, 박물관이나 미술관, 슈퍼마켓이나 백화점, 아울렛이나 쇼핑몰, 의류 판매점 등 제휴처의 범위가 넓고 개수가 많다. 오랜 시간 머무르지 않는 관광객이 각각의 제휴처를 다 알아보고 비교하여 선택하는 것은 다소 비효율적이다. 각각의 제휴처에서 무조건 아이패스나 이지카드를 사용해야만 하는 것이 아니라면 제휴처를 비교해 카드를 선택하는 것은 추천하지 않는다.

	아이패스	이지카드
구입비	타이중 국제공항 및 편의점 ₩	
구매처	버스(10km 이내 무료) / 기차(구간차만 가능)	
대중교통 사용처	구입비 환불 제외 3개월 이내 및 5회 미만 사용 시 잔액에서 NT$20 제외한 금액 환불	
환불	카드 잔액만 환불해도 카드 사용 불가. NT$20을 내면 재사용 가능	카드 잔액만 환불해도 카드 재사용 불가
어린이용 유무	X	O
제휴회사	모든 편의점(7-ELEVEN, FamilyMart, Hi-Life, OK mart)	
	https://www.i-pass.com.tw/참조	https://www.easycard.com.tw/ 참조
잔액 확인 어플	i-PASS(一卡通)	Easy Wallet NFC

아이패스와 이지카드의 또 다른 차이점에는 두 가지가 있다. 첫 번째로 아이패스는 어린이용 카드가 없지만 이지카드는 어린이용 카드가 있다. 두 번째는 잔액을 확인할 수 있는 어플이 다르다. 아이패스는 스토어에서 아이패스i-pass를 검색했을 때 나오는 i-PASS(一卡通)를 다운받아야하며, 이지카드는 스토어에서 이지easy카드를 검색하고 Easy Wallet NFC을 다운받아야한다. 아이폰과 안드로이드 모두 어플 다운 스토어에서 다운 가능하다.

아이패스, 이지카드 구매 시 팁과 주의할 점

아이패스와 이지카드는 각각 다양한 애니메이션 캐릭터를 사용하여 예쁘고 귀여운 디자인이 많다. 그런데 타이중국제공항臺中國際機場의 입국장 및 출국장 부스에서는 카드 디자인의 종류가 다양하지 않은 편이다. 시내에 있는 편의점에서는 다양한 캐릭터 디자인의 카드가 많기 때문에 마음에 드는 카드를 갖기 위해 편의점을 순례하는 여행자도 있다.

교통카드를 구매할 때 주의해야할 것은, 아이패스와 이지카드 외에도 아이캐시i-cash와 해피캐시happycash가 있다는 사실이다. 아이캐시는 앞의 두 카드에 비해 사용 가능처가 적고 환불이 불가능하며, 해피캐시 또한 사용 가능처도 적은데다 환불에 필요한 서류 및 정보를 우편으로 전송해야하기 때문에 관광객이 진행하기엔 절차가 다소 까다롭다.

편의짐에서 아이패스나 이시카느를 날라고 하면 각 카드를 구분해서 주는 것이 아니라 한꺼번에 주기 때문에 아이캐시나 해피캐시를 잘못 구매하게 되는 경우가 종종 있다. 맘에 드는 카드를 골랐다면 아이패스인지, 이지카드인지, 아이캐시인지, 해피캐시인지 꼭 확인하고 구매해야한다.

타이중 핵심 개념 지도

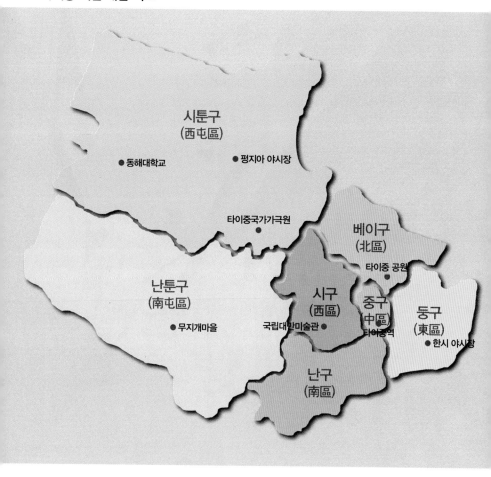

시툰구
(西屯區)

● 동해대학교 ● 펑지아 야시장

타이중국가극원

베이구
(北區)

타이중 공원

난툰구
(南屯區)

시구
(西區)

중구
(中區)

둥구
(東區)

● 무지개마을 국립대만미술관 ●

타이중역

● 한시 야시장

난구
(南區)

타이중 한 눈에 보기

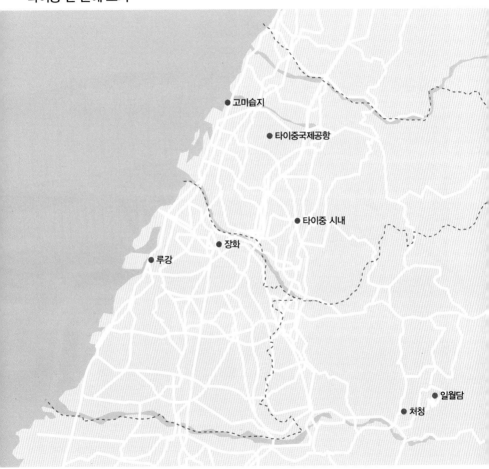

● 고미습지

● 타이중국제공항

● 타이중 시내

● 장화

● 루강

● 일월담

● 처청

中區

중구 | Zhong Qu

中區
중   구

중구中區는 여행의 시작이자 마지막이 되는 타이중역臺中車站이 위치해있기 때문에 타이중 여행자라면 한번쯤 들리게 되는 곳이다. 또 타이중臺中은 대부분의 관광지가 조금 떨어져 있는 편이지만, 중구에 있는 관광 포인트는 걸어서 이동해도 무리가 없는 정도이기 때문에 도보 여행으로도 충분히 즐길 수 있다.

중구 여행 잘하는 법
중구의 왼편에 있는 난구南區에서 가볼만한 곳은 타이중 문화창의 산업단지와 충효 야시장이 있으며, 오른편에 있는 둥구東區에는 한시 야시장이 있다. 다른 구에 위치해있지만 중구와 인접해있기 때문에 중구를 여행할 때 함께 묶어본다면 더욱 풍성한 중구 여행이 될 것이다.

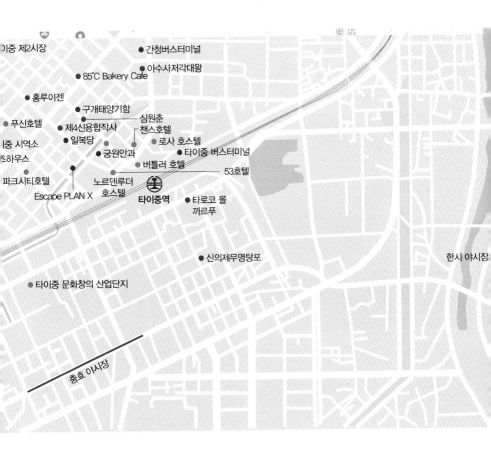

이중 제2시장

간청버스터미널

아수사저각대왕

85℃ Bakery Cafe

홍루이젠

구개태양기함

심원춘

푸신호텔

제4신용합작사

챈스호텔

이중 시역소

일북당

로사 호스텔

하우스

궁원안과

타이중 버스터미널

버틀러 호텔

파크시티호텔

53호텔

Escape PLAN X

노르덴루더
호스텔

타이중역

타로코 몰
까르푸

신의제무명탕포

한시 야시장

타이중 문화창의 산업단지

충호 야시장

타이중 옛 기차역

舊台中車站 | 지유타이쯍쳐잔

세련되고 거대한 타이중역 바로 옆에 위치해 더 작고 칙칙하게 느껴지지만, 일제 강점기인 1917년에 지어진 과거의 산물이다. 대만 국가 2급 고적지로 지정된 곳으로, 르네상스 양식을 기반으로 지어져 같은 시기 일본의 지배를 받았던 우리나라의 서울역과 비슷한 느낌이 든다.
2016년까지 약 100년 정도 실제 기차역으로 사용하다 타이중역이 신설된 이후 기차역으로서의 운영은 중단됐다.

주소_ 台中市中區台灣大道一段1號
위치_ 타이중역 옆
전화_ 04-2222-7236

144

타이중 문화창의 산업단지
臺中文化創意産業園區
타이중원화창이찬예위안취

일제강점기에 만들어져 대만에서 가장 큰 규모를 자랑했던 양조장을 개축해 만든 문화 예술 복합 단지이다. 술 제조의 역사와 전통을 안내하는 술문화관은 항상 운영 되고 있으며, 다른 전시관은 주기적으로 전시가 바뀐다.

넓은 부지 안에 다양한 전시관과 과거의 흔적이 남아있는 건축물, 독특한 조형물 등이 있어 전시 및 예술 문화에 관심이 있는 여행자들이 방문하기 좋다. 다양한 물건을 판매하는 소품샵과 식음료를 판매하는 카페도 있다.

홈페이지_ tccip.boch.gov.tw
주소_ 台中市南區復興路三段362號
위치_ 타이중 옛 기차역에서 도보 약 9분
시간_ 화~일 10:00~18:00 / 월요일 휴무
전화_ 04-2217-7777

궁원안과
宮原眼科 | 꿍위엔옌커

일제강점기 시절 미야하라miyahara라는 일본인이 운영하던 안과 건물을 리모델링해 만든 상점이다. 기본적으로 초콜릿, 차, 아이스크림 등을 판매하는 곳인데, 높은 천장과 길게 솟아있는 책장에 책이 꽂혀있는 인테리어가 해리포터 도서관과 비슷하여 상점에서 굳이 무언가를 사지 않아도 타이중에서 가볼만한 곳으로 꼽힌다. 낮에는 많은 사람들이 인산인해를 이루며, 밤에 가면 조금 더 한산하게 둘러볼 수 있다. 정문에서 왼편으로 가면 궁원안과의 명물인 아이스크림 판매점이 나오는데 앉을 자리가 없기 때문에 서서 먹어야 한다. 앉아서 편하게 먹고 싶다면 근처에서 함께 운영하고 있는 제4신용합작사로 가면 된다(EATING 참조).

홈페이지_ miyahara.com.tw
주소_ 台中市中區中山路20號
위치_ 타이중 옛 기차역에서 도보 약 3분
시간_ 10:00~22:00
요금_ 아이스크림 한 스쿱 NT$90
전화_ 04-2227-1927

천월대루
千越大樓 | 친유에다로우

독특한 그래피티로 뒤덮인 천월대루는 대만 그래피티 팀인 Escape PLAN X의 빌딩 작품으로, 한국에는 거의 알려지지 않았고 현지에서 유명한 포토존이다. 튤립 조화가 달려있는 입구로 들어가 계단을 올라가면 그래피티 천국이 펼쳐진다. 다채로운 색깔과 다양한 그림이 그려진 그래피티는 사진을 찍을만하지만, 건물 자체는 폐허기 때문에 혼자 방문하면 다소 무서울 정도다. 항시 개방된 곳이지만 밤에는 불빛 하나 없이 어둡기 때문에 방문을 삼가고, 방문 시에는 둘 이상 방문하거나 다른 사람들도 찾아오는 주말 낮에 방문해보자.

홈페이지_ facebook.com/escapeplanx/
주소_ 台中市中區綠川西街113號
위치_ 궁원안과에서 도보 약 1분
요금_ NT$200
전화_ 0987-878-487

신성녹천수안랑도
新盛綠川水岸廊道 | 신성루취엔수이안랑다오

궁원안과 건너편에 있는 작은 하천 공원으로 서울의 청계천과 비슷한 분위기가 풍긴다. 마땅한 산책로가 없는 타이중역 인근에서 타이중 시민들이 가벼운 산책이나 담소를 나누기 위해 찾는 곳으로, 반드시 찾아가야할 곳은 아니지만 밤에 방문해보면 분위기가 꽤 있다. 때때로 하천 주변의 나무에 아름다운 조명 장치가 설치될 때면 많은 현지인들로 인산인해를 이룬다.

홈페이지_ facebook.com/ShinSeiGreenWaterway
주소_ 台中市中區綠川東西
위치_ 궁원안과 건너편
전화_ 04-2228-9111

타이중시역소
臺中市役所 | 타이쭝시이쓰워

일제강점기 시절에 사용됐던 타이중 옛 시청이다. 흡사 유럽의 박물관 같은 느낌이 드는 타이중시역소는 1911년 타이중에서 처음으로 건축된 철근 시멘트 건축물로, 당시 대만에서 가장 화려한 시청 건물이었다고 알려진다. 내부에는 대만의 유명 음식 브랜드인 로즈하우스古典玫瑰園에서 식음료를 판매하며(EATING 참조), 2층에는 예술품을 전시하는 전시 공간이 있는데 전시물은 주기적으로 바뀐다.

타이중 시역소 건너편에는 같은 시기에 설립돼 타이중시 고적으로 보호되는 동시에 타이중 시청으로 사용하고 있는 타이중주청台中州廳이 있다.

주소_ 台中市西區民權路97號
위치_ 신성녹천수안랑도에서 도보 약 9분
시간_ 2층 전시관 10:00~19:00
　　　　매월 3번째 주 월요일 휴관

일복당
一福堂 | 이푸탕

레몬케이크인 닝멍삥檸檬餠으로 유명한 타이중의 제과점으로 타이중 시내 곳곳에서 지점을 찾아볼 수 있다. 레몬 모양과 레몬색을 가진 닝멍삥은 폭신폭신한 식감에 레몬맛 초콜렛이 덧입혀져 있어 레몬향이 가득 나는데, 호불호가 다소 갈리므로 시식 후 구매하는 것이 좋다.

닝멍삥 외에도 타이중의 특산품인 타이양빙太陽餠이나 대만 여행 대표 쇼핑 리스트인 펑리수凤梨酥 등 다양한 대만 전통 과자를 판매하고 있다.

///

홈페이지_ ifhouse.com.tw
주소_ 台中市中區中山路67號
위치_ 천월대루에서 도보 약 2분
시간_ 09:00~22:00
요금_ 닝멍삥 개당 NT$20
전화_ 04-2222-2643

타로코 몰
大魯閣新時代 | 따루거씬스다이

타이중역 뒤편에 있는 대형 쇼핑몰로, 지하 1층에는 까르푸가 있어 대만 쇼핑 리스트를 구매하기 좋다. 동서양의 모든 음식을 판매하는 푸드 코트와 다양한 프랜차이즈 식음료 판매점이 있어 큰 고민 없이 식사를 해결할 수 있기도 하다. 타이중 관광 중 날씨가 너무 덥거나 비가 많이 와 실외 관광이 어려울 때 방문해보면 좋다.

홈페이지_ taichung.trkmall.com.tw
주소_ 台中市東區復興路四段186號
위치_ 타이중역에서 도보 약 3분
시간_ 11:00~22:00

구개태양기함점
九個太陽旗艦店 | 주거타이양치지엔디엔

타이양빙太陽餅,닝멍빙檸檬餅, 펑리수鳳梨酥 등 다양한 대만 전통 과자를 판매하는 제과점으로 대부분의 종류를 편하게 시식해볼 수 있어 좋은 곳이다. 직원들은 친절하지만 영어는 불가능하고, 각 제품의 이름표에는 영어가 써져 있어 구매에 큰 어려움은 없다. 현지인들에게 타이양빙과 펑리수로 인기 있고 유명한 제과점으로, 펑리수는 적당히 새콤달콤하며 버터향은 진하지 않은 편이다.

홈페이지_ ninesuns9999.com.tw
주소_ 台中市中區台灣大道一段176號
위치_ 일복당에서 도보 약 3분
시간_ 08:00~22:00
요금_ 펑리수 10개입 NT$200
전화_ 04-2221-3639

제4신용합작사
台中市第四信用合作社
타이쭝시디스신용허즈어셔

과거 은행으로 사용했던 건물을 개조해 만든 궁원안과 2호점이다. 궁원안과에서 판매하는 아이스크림과 동일한 아이스크림을 만나볼 수 있으며, 와플에 아이스크림이나 푸딩, 과자, 과일 등을 올린 디저트도 판매하고 있다.

건물은 3층까지 있으며 테이블이 부족한 일은 별로 없다. 직원들이 친절하고 영어 메뉴판도 구비돼있어 주문도 쉬운 편이다.

홈페이지_ miyahara.com.tw
주소_ 台中市中區中山路20號
위치_ 일복당에서 도보 약 1분
시간_ 10:00~22:00
요금_ 아이스크림 한 스쿱 NT$90
전화_ 04-2227-1966

심원춘
沁園春 | 친위엔춘

70년의 역사를 가지고 있는 상하이 요리 전문점으로, 현지인들이 사랑하고 한국인 여행자들에게도 인기 있는 곳이다. 식사시간대에는 웨이팅이 다소 있으므로 피해가는 것도 방법이다.
메뉴판에 사진이 있어 주문이 어렵지 않고 음식 또한 향신료가 많이 들어가지 않아 먹기도 편한 곳이다. 샤오롱바오와 볶음밥류가 한국인 입맛에 가장 잘 맞고 맛있는 편이다.

홈페이지_ facebook.com/chin.yueh.chun
주소_ 台中市中區台灣大道一段129號
위치_ 제4신용합작사에서 도보 약 2분
시간_ 화~일 11:00~14:00, 17:00~21:00
　　　월요일 휴무
요금_ 샤오롱바오 NT$180
전화_ 04-2220-0735

대만진사훠궈
台灣陳沙茶火鍋 | 타이완천사차훠궈

훠궈 골목에 위치한 현지인 맛집으로 생선육수를 기반으로 한 청탕淸湯 훠궈를 먹을 수 있는 곳이다. 현지 식당 분위기를 제대로 느껴볼 수 있는 곳으로, 식당은 다소 허름해 보이지만 다양한 식재료는 깨끗하고 신선하다.

저녁에만 영업하기 때문에 방문 시 시간에 잘 맞추어 방문해야한다. 붐비지 않을 때는 1인도 가능하며, 주변이 모두 훠궈 전문점이기 때문에 밑져도 본전으로 훠궈를 먹을 수 있다, 영어메뉴판 구비해 놓았다.

주소_ 台中市中區台灣大道一段81巷23號
위치_ 일복당에서 도보 약 1분
시간_ 화~일 17:00~21:30 / 월요일 휴무
요금_ 1인 약 NT$500~
전화_ 04-2227-1304

홍루이젠
洪瑞珍

한때 한국에도 대란을 일으켰던 샌드위치인 홍루이젠의 본점이다. 샌드위치는 매우 특별한 맛은 아니지만 저렴한 가격에 다양한 맛을 볼 수 있다는 장점이 있다. 샌드위치 이외에도 다양한 빵을 판매하며, 누가크래커와 펑리수凤梨酥도 있다. 늦은 시간에 방문하면 문을 닫는 경우가 많으므로 적어도 오후 8시 이전에 방문하는 것이 좋다.

홈페이지_ 22268127.com
주소_ 台中市中區中山路125-2號
위치_ 제4신용합작사에서 도보 약 2분
시간_ 09:00~22:00
요금_ 샌드위치류 NT$23~
전화_ 04-2226-8127

로즈하우스
古典玫瑰園 | 구디엔메이구위엔

타이중 시역소 내에 위치한 로즈하우스는 대만의 유명 음식 브랜드로 대만 전국 곳곳에 퍼져있다. 1층의 CAFE 1911은 카페라고 써 있지만 대만의 현지 음식을 깔끔한 가정식으로 내어놓는 음식 전문점이며, 2층의 소화사용昭和沙龍은 음료 및 디저트 전문점으로 쩐쭈나이차珍珠奶茶같은 대만 음료나 귀여운 고양이 장식의 대만 특유의 대패 빙수 메뉴를 맛볼 수 있다.
다른 음식점 및 카페보다 가격이 조금 더 있지만 맛도 괜찮은 편이며, 타이중 고적의 숨결을 느끼며 음식을 즐기고 싶은 여행자에게 추천한다.

홈페이지_ facebook.com/taichungshiyakusho/
주소_ 台中市中區中山路125-2號
위치_ 제4신용합작사에서 도보 약 2분
시간_ 09:00~22:00
요금_ 샌드위치류 NT$23~
전화_ 04-3507-9006

85°C Bakery Cafe

소금커피로 유명한 대만의 음료 전문점으로 촉촉한 에그타르트, 다양한 빵과 저렴한 케이크로도 인기를 끄는 곳이다. 아침 일찍부터 자정까지 영업하기 때문에 언제든 방문하기 좋은 곳으로, 손님의 대부분이 테이크아웃으로 빠지기 때문에 2층의 넓은 자리에서 편하게 쉬며 달달한 휴식을 취할 수 있을 것이다.

홈페이지_ 85cafe.com
주소_ 台中市中區成功路152號
위치_ 심원춘에서 도보 약 3분
시간_ 07:00~24:00
요금_ 소금커피(海巖咖啡) NT$60
전화_ 04-2223-1177

아수사저각대왕
阿水獅豬都腳大王 | 아수이시주자오다왕

40년의 역사를 가지고 있는 현지인 족발 유명 맛집으로, 대만의 각종 매체에 소개된 이력이 있으며 식사시간에는 현지인들로 붐비는 곳이다.

오랜 시간 고아낸 족발은 짭짤하고 부드러운 식감이 맛이 좋으며, 향신료 맛이 나지 않아 한국인 입맛에도 잘 맞는다. 메뉴판은 사진과 영어 표기가 함께 돼있어 주문에 큰 어려움이 없다. 이곳의 인기메뉴인 족발과 면을 함께 먹는 주자오멘센豬腳麵線이나 족발과 밥을 따로 주문해 먹어도 좋다.

홈페이지_ assfood.com.tw
주소_ 台中市中區公園路1號
위치_ 심원춘에서 도보 약 5분
시간_ 11:00~20:00
요금_ 주자오멘센(豬腳麵線) NT$110
전화_ 04-2224-5700

신의제무명탕포
信義街無名湯包 | 신이제우밍탕바오

신의제 거리信義街의 간판이 없는 대만식 만두 탕바오 전문점이다. 관광객에게 많이 알려지지 않은 현지인 맛집으로 현지인들이 대부분의 테이블을 차지하고 있으며 합석은 기본일 정도다.

영어메뉴판은 물론 영어도 전혀 통하지 않지만 바디랭귀지로 충분히 주문 가능하다. 육즙이 가득한 고기만두와 야채만두 모두 맛있고, 또우장豆漿과 홍차紅茶는 따뜻한 것과 뜨거운 것으로 나누어져있는데 NT$12만 내면 무제한 리필이다. 새벽부터 정오 전까지만 운영하기 때문에 방문 시 시간에 주의해야한다.

주소_ 台中市東區信義街63號
위치_ 타로코 몰에서 도보 약 4분
시간_ 05:30~11:30
요금_ 탕바오류(湯包) NT$16
　　　 홍차 및 또우장(豆漿) NT$12
전화_ 04-2220-1790

충효야시장
忠孝路夜市 | 중샤오루관광예시

타이중역 뒤편의 충효로忠孝路에 조성된 야시장이다. 대부분의 가게가 늦은 오전이나 낮부터 영업을 시작하기 때문에 반드시 밤에 찾아가지 않아도 되는 편이다. 넓은 대로를 중심으로 양 옆에 다양한 대만 현지 음식과 적은 수의 양식 노점이 늘어서있으며 차량 통제가 되지 않는 곳이므로 통행 시 주의해야한다. 100% 현지인 위주 야시장이라 영어 메뉴판이 없음은 물론 영어가 통하지 않는 곳이므로 주문의 어려움은 다소 있지만 현지 분위기를 느낄 수 있는 곳이다.

주소_ 台中市南區忠孝路
위치_ 타이중역에서 약 1㎞ / 타이중역 앞 Taichung Station (Taiwan Blvd.) / 臺中車站(臺灣大道) 정류장에서 9, 12번 버스 탑승 후 Taichung Elementary School / 臺中國小 정류장 하차
시간_ 상점마다 상이하나 대체로 14:00~23:30
전화_ 0919-672-161

한시야시장
旱溪夜市 | 한시예시

타이중 시내에서 조금 떨어져 있는 한시 야시장은 거리는 멀어도 방문 가치가 있는 곳이다. 넓은 공터에 각종 대만 현지 먹거리와 볼거리, 살거리, 놀거리가 빼곡하게 들어차는 한시 야시장은 현지 야시장 분위기를 제대로 느낄 수 있기 때문이다. 물론 영어 메뉴판이 없고 영어가 통하지 않는 곳이 대부분이다.

현지인들이 많이 방문하는 곳인데다 노점 간 간격이 넓지는 않은 편이기 때문에, 주말에 방문하면 다소 사람에 밀리고 펭귄처럼 걸으며 구경하게 되기도 한다. 하지만 맛있는 각종 대만 현지 먹거리와 왁자지껄하고 즐거운 분위기에 불쾌감이 금방 사라지게 될 것이다.

주소_ 台中市東區旱溪東路一段
위치_ 타이중역에서 약 2km / 타이중역 뒤편
Taichung Railway Station (East Station) / 台中火車站(東站) 정류장에서 51, 89, 280, 286, 289 탑승 후 Dongmen Bridge(東門橋)에서 하차하여 도보 약 4분
시간_ 화, 목, 금, 토 17:00~24:00 / 일,월,수 휴무
전화_ 0912-466-022

타이중 제2시장
臺中第二市場 | 타이쭝띠얼스챵

일제강점기 시절 문을 열어 100여년의 역사를 간직한 시장이다. 음식점뿐만 아니라 다양한 농수산물과 생활 및 잡화까지 다양한 상점이 들어서있다.

현지인 시장이기 때문에 영어메뉴판이 없거나 영어 소통이 안 되는 것이 당연한 곳이며, 아침 일찍 시작해서 저녁 이전에 영업을 마치는 음식점이 대부분이다. 대만 중부에서 나는 식자재로 만든 맛있는 대만 현지 음식을 맛볼 수 있는 곳으로 추천한다.

주소_ 台中市中區三民路二段87號
위치_ 타이중역에서 약 1km / 타이중역 앞 Taichung Station (Taiwan Blvd.) / 臺中車站(臺灣大道) 정류장에서 8, 9, 14번 버스 탑승 후 2nd Market (Taiwan Blvd.) / 第二市場(臺灣大道) 정류장에서 하차하여 도보 약 2분
시간_ 상점마다 휴무일 및 영업시간이 상이함
전화_ 04-2225-4222

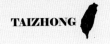
타이중 제 2시장 맛집 BEST 5

타이중 제 2시장은 아무데나 들어가도 맛있는 대만 현지 음식을 즐길 수 있다고 할 정도로 미식 시장이라고 할 수 있다. 하지만 어느 곳이든 공인된 유명 맛집이 있는 법. 아래에서 소개하는 타이중 제 2시장 맛집은 많은 손님 덕분에 합석도 불사해야하는 곳으로, 타이중에 거주하는 현지인뿐만 아니라 대만 현지인 관광객에도 인기 있는 곳이다. 한국인 입맛에도 편한 타이중 제 2시장 맛집은 타이중에서의 맛있는 기억으로 남을 것이다.

안기육포 | 記肉包(옌지로우바오)

타이중 제 2시장 입구 인근에 있어 찾아가기 쉽다. 관광객들보다는 타이중 현지인들이 아침 식사로 즐겨 찾는 식당이다. 영어가 통하지 않아 보디랭귀지로 주문해야하지만, 메뉴판에 음식 사진과 영문명이 표기돼있어 음식을 알아보기도 쉽고 주문하기에도 어렵지 않다. 대부분의 메뉴가 맛있지만 현지인들이 즐겨 찾는 메뉴는 역시 고기만두인 로우바오肉包와 얇은 만두가 들어간 탕인 훈툰탕餛飩湯이다.

주소_ 台中市中區三民路二段103號 **시간_** 수~월 08:00~17:30 / 화요일 휴무
요금_ 로우바오(肉包) NT\$35 / 훈툰탕(餛飩湯) NT\$45 **전화_** 04-2225-3234

채두과나미장 | 菜頭粿糯米腸(차이타우궈누오미창)

안기육포에서 직진해서 도보 1분이면 도착하는 채두과나미장은 타이중 현지인들의 인기 아침 식사 식당일뿐만 아니라 대만 현지 관광객들에게도 인기 있는 곳이다. 무를 갈아서 만든 무떡 뤄보까오蘿蔔糕(민난어로는 차이토우궈菜頭粿)을 전문으로 하는 곳으로, 현지 테이블이 많지 않기 때문에 합석해서 식사하는 일이 대부분이다. 현지인들은 뤄보까오에 계란 후라이蛋를 얹은 것을 기본으로 먹는다. 단품 메뉴와 인기 메뉴를 저렴한 가격으로 함께 먹을 수 있는 세트 메뉴도 판매하고 있다.

주소_ 台中市中區三民路二段87號　**시간_** 06:30~18:00
요금_ 뤄보까오(菜頭粿)+계란후라이(蛋) NT$40　**전화_** 04-2224-2318

노뇌차잔 | 老賴茶棧(라오라이차잔)

채두과나미장 바로 맞은편에 있는 홍차 전문점으로 1975년에 개점해 약 50년의 전통을 갖고 있다. 살얼음이 가득한 라오라이홍차老賴紅茶는 한화 약 1,000원이라는 저렴한 가격에 적당히 쌉싸름하고 달콤해 시원하게 먹기 좋으며, 용량도 500㎖의 대용량이라 타이중 제 2시장을 돌아다니며 먹기에도 좋다.

주소_ 台中市中區三民路二段第二市場7180
시간_ 07:00~19:00
요금_ 라오라이홍차(老賴紅茶) NT$25
전화_ 04-2229-0898

삼대복주의면노점 | 三代福州意麵老店(싼따이푸쪼우이미엔라오디엔)

노뇌차잔에서 안쪽으로 들어가면 있는 곳으로 대만식 비빔면인 깐미엔^{乾麵} 전문점이다. 타이중 현지인들도 자주 찾지만 특히 대만 현지 관광객들에게 유명하다. 깐미엔의 적당히 짭짤한 맛의 쫄깃한 면발은 향신료 맛이 없어 한국인 입맛에도 잘 맞는다. 깐미엔과 완탕^{丸湯}, 훈둔탕^{餛飩湯} 등 다른 단품 메뉴를 저렴한 가격에 함께 먹을 수 있는 세트메뉴도 판매하고 있다. 영어메뉴판은 없지만 노란색 별표가 있는 베스트 메뉴를 고르면 맛있게 식사할 수 있을 것이다.

주소_ 台中市中區三民路二段1之7號   **시간_** 목~화 08:00~18:30 / 수요일 휴무
요금_ 깐미엔(福州意乾麵) NT$45   **전화_** 04-2220-4335

經濟套餐	
福州乾意麵+甜不辣湯	65
☆ 福州乾意麵+綜合丸子湯	75
福州乾意麵+蝦丸湯	75
福州乾意麵+福州丸湯	75
☆ 福州乾意麵+餛飩湯	80
福州乾意麵+排骨湯	100

美味單點	
肉 燥 飯 — —	30
☆ 福州乾意麵 — —	45
麻 醬 意 麵 — —	45
乾 餛 飩(抄手) — —	50
湯 意 麵 — —	45

산하로육반 | 山河魯肉飯(산허루로우판)
이해로육반 | 李海滷肉飯(리하이루로우판)

타이중 제2시장 입구에서 오른편으로 가다보면 나오는 중간 입구에 바로 위치해있는 곳이다. 한국사람 입맛에도 잘 맞는 대만 서민들의 대표 음식인 루로우판肉飯 전문 식당으로, 루로우판은 간장과 오향소스에 졸인 돼지고기를 밥 위에 올려먹는 돼지고기덮밥이다. 타이중 현지인과 대만 현지 관광객들에게도 인기 있는 곳으로 식사 시간대에는 줄을 서서 먹거나 합석해야 하는 것이 기본인 곳이다.

맞은편에도 루로우판 전문점인 이해로육반이 있다. 산하로육반보다 입소문을 덜 탄 곳이지만 그렇다 해서 맛이 덜한 것은 아니며, 관광객보다는 타이중 현지인들이 자리를 더 많이 차지하는 편이다. 산하로육반의 영업이 끝난 때부터 새벽까지 운영하기 때문에, 방문한 시간대에 영업하고 있는 루로우판 집으로 가서 식사하면 된다.

주소_ 台中市中區三民路二段85號98攤位
시간_ 산하로육반 05:30~15:00 이해로육반 16:00~03:00 / 목~화 영업, 수요일 휴무
요금_ 루로우판(魯肉飯) 산하로육반 NT$55 / 이해로육반 NT$60
전화_ 산하로육반 04-2220-6995 / 이해로육반 04-2226-0180

SLEEPING

버틀러 호텔
Reykjavik Loft Hostel | 中欣商務精品飯店
중신샹우징핀판디엔

타이중역 바로 앞에 위치해있어 최고의 위치를 자랑하는 3.5성급 호텔이다. 세련되거나 고급스럽진 않지만 시설이 깨끗하고 청결하게 유지된다. 금연 호텔로 에어컨과 오리털/거위털 이불을 구비하고 있다. 직원들이 친절해 투숙객들의 만족도가 높은 버틀러 호텔은 시설 대비 적정한 가격과 적당한 룸 크기, 그리고 모든 룸 타입에 무료 조식이 제공되는 다양한 장점이 있는 곳이다.

홈페이지_ plaza-hotel.com.tw
주소_ 台中市中區建國路180號
위치_ 타이중역에서 도보 약 2분
요금_ NT$1485~
전화_ 04-2226-9666

챈스 호텔
Chance Hotel | 巧合大飯店
치아오허다판디엔

버틀러호텔 맞은 편에 있는 3성급 호텔로 98개의 전객실이 금연으로 운영되며, 도미토리와 개인룸으로 나눠져있다. 로비에는 한국어 지원이되는 셀프 체크인-체크아웃 키오스크가 있어 소통의 어려움 없이 이용할 수 있다.

호텔 시설은 깔끔하고 세련된 편이며, 객실은 다소 올드한 느낌이지만 룸 크기도 적당하며 청결 또한 높은 수준으로 유지된다. 전 객실이 에어컨을 구비하고 있으며 이불은 얇은 편으로 추위를 잘 탄다면 다소 추울 수도 있다. 조식은 중화권 음식 위주지만 먹을만 하며 적은 종류지만 서양식도 제공된다.

홈페이지_ chancehotel.com.tw
주소_ 台中市中區建國路163號
위치_ 타이중역에서 도보 약 3분
요금_ NT$700~
전화_ 04-2229-7161

53 호텔
53 Hotel | 寶島53行館
바오다오우스싼항관

타이중의 유명 상점인 궁원안과 맞은편에 위치한 호텔로 3.5성급 호텔이다. 건물 외관 자체는 다소 낡아보이지만 호텔 인테리어는 깔끔하고 고급스러운 편으로, 안락하고 세련된 룸과 언제나 높게 유지되는 청결도는 이용자들의 만족도를 높이는 하나의 요소이다.

에어컨을 구비한 70개의 전 객실은 금연으로 운영 되며, 중화권 음식과 서양식이 적절히 섞인 조식 또한 투숙객으로부터 좋은 평을 받는다.

홈페이지_ 53hotel.com.tw
주소_ 台中市中區中山路27號
위치_ 타이중역에서 도보 약 5분
요금_ NT$1,548~
전화_ 04-2220-6699

파크시티호텔 타이중민콴점
Park City Hotel Taichung Minquan
成旅晶贊飯店 台中民權館
청루징잔판디엔타이중민콴관

타이중역에서 약 700m 떨어져있는 파크시티호텔은 주변 건물들과 달리 크기가 크고 세련된 외관 덕분에 찾기 쉬운 호텔이다.
3.5성급 호텔로 109개의 객실은 금연으로 운영 되며, 모든 객실에 조식이 포함돼있는데 서양식과 중화권 음식이 적절히 준비돼 이용자들의 평도 좋은 편이다. 호텔 시설 전체가 고급스럽고 세련된 편으로, 모든 객실이 현대적인 인테리어에 안락한 분위기를 제공하며 침대가 편안하여 투숙객들의 만족도를 높인다.

홈페이지_ parkcthotel.com
주소_ 台中市中區民權路66號
위치_ 타이중역에서 도보 약 9분
요금_ NT$1,795~
전화_ 04-2223-5678

푸신호텔
Fushin Hotel Taichung
台中富信大飯店
타이중푸신다판디엔

타이중역에서 약 800m 떨어져 있는 푸신 호텔은 중구에서 저렴한 가격에 고급스러운 4성급 호텔에서 숙박할 수 있는 곳이다. 고풍스러우면서도 현대적인 느낌을 잃지 않은 외관과 내부 인테리어는 고급스러운 분위기를 자아낸다. 전체적으로 화이트톤을 기반으로 한 룸 또한 세련되고 안락하다. 호텔 내부에는 3개의 레스토랑이 운영 중이며 24시간 룸서비스가 제공돼 언제든 편하게 식사를 즐길 수 있다. 88개의 전 객실은 금연으로 운영되며 투숙객에게는 자전거 무료 대여 서비스가 제공된다.

홈페이지_ fushin-hotel.com.tw
주소_ 台中市中區市府路14號
위치_ 타이중역에서 도보 약 10분
요금_ NT$1,782~
전화_ 04-2229-6999

루샤호스텔
Loosha Hostel
旅巷自在輕旅 | 루샹즈자이스칭뤼

타이중역에서 도보 3분이면 닿을 수 있는 로사호스텔은 도미토리룸과 개인실을 보유하고 있어 선택의 폭이 넓으며, 유료 조식은 돈이 아깝지 않을 정도로 다양하고 맛있는 음식을 제공한다.

출입은 카드키로 운영되며 도미토리 룸의 침실은 사생활 보호 커튼과 개인 전등, 간이 책상이 있어 편안하게 이용할 수 있다. 공용공간에서 전자레인지, 냉장고를 사용할 수 있고 세탁은 유료로 이용 가능하다. 수건은 유료로 제공되므로 숙박 시 유의하자.

홈페이지_ loosha.com.tw
주소_ 台中市中區成功路10號5樓
위치_ 타이중역에서 도보 약 3분
요금_ NT$566~
전화_ 04-2222-8187

노르덴루더호스텔
Norden Ruder Hostel
路得行旅 | 루더싱뤼

타이중역에서 도보로 3분이면 도착하는 노르덴루더 호스텔은 전반적인 면에서 투숙객들의 만족도가 높은 곳이다. 북유럽풍의 세련되고 깔끔한 인테리어를 기반으로 넓은 공용 공간과 깨끗한 시설을 제공한다.
도미토리룸과 개인실로 객실이 나누어져 있으며, 도미토리룸은 공간이 분리돼있어 개인실처럼 사용할 수 있다는 큰 장점이 있다. 친절한 직원들과 깨끗한 시설 유지는 기본이며, 호스텔 바로 앞에 타이중 공용 자전거 U–Bike 정차소가 있어 편리하게 이용할 수 있다.

홈페이지_ facebook.com/nordenruder2/
주소_ 400台中市中區建國路123號12樓
위치_ 타이중역에서 도보 약 3분
요금_ NT$772~
전화_ 04-2225-9951

백패커41 호스텔

BACKPACKER41 | 背包41青年旅館

베이바오쓰이치니엔뤼관

저렴한 가격이 장점인 백패커41 호스텔은 타이중역에서 약 500m 떨어져 있는 곳이다. 직원들이 친절하고 활기찬 현지 분위기 호스텔로 한국인 여행자들보다는 서양 여행자들이나 대만 현지 젊은이들의 이용률이 높은 곳이다.

도미토리의 침대에는 개인 콘센트가 제공되지만 사생활 보호 커튼과 개인 전등은 없다. 유료로 제공되는 세탁 시설은 여러 대의 세탁 기기가 있어 오래 기다리지 않고 이용할 수 있으며, 공용 주방에서 식사를 만들어 먹을 수 있다.

홈페이지_ kaobp41.com
주소_ 台中市中區繼光街59號
위치_ 타이중역에서 도보 약 7분
요금_ NT$772~
전화_ 0952-612-212

北區

베이구 | Bei-Qu

北區
베　이　구

베이구北區는 타이중과 대만 특유의 분위기를 느낄 수 있는 타이중 공원과 공자묘, 그리고 보각선사가 위치한 곳이다. 반드시 꼭 가봐야 할 정도의 특별한 볼거리는 아니기에 건너뛰는 여행자도 많지만, 한번쯤 방문해보면 타이중 여행 중 잔잔한 정취를 감상해보는 기회가 될 것이다. 타이중 여행 중 베이구를 놓치면 안 되는 또 다른 이유는 바로 타이중의 번화가인 일중가一中街다. 타이중의 최신 유행을 이끄는 일중가가 주는 매력적인 분위기는 타이중 여행의 즐거운 기억으로 남게 될 것이다.

베이구 여행 잘하는 법
베이구北區의 하이라이트라고 할 수 있는 곳은 바로 일중가一中街다. 타이중의 유행을 선도하는 일중가에는 다양한 볼거리, 살거리와 함께 타이중의 맛집이 곳곳에 널려있다. 특히 일중가는 낮에 방문해도 즐길 수 있지만, 밤에는 야시장 분위기가 형성돼 더 활기차고 즐겁게 즐길 수 있으므로 밤에 방문해보는 것을 추천한다.

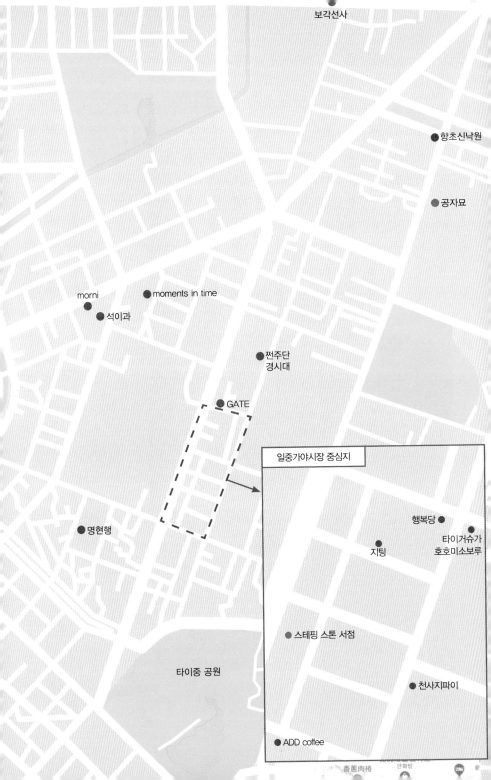

보각선사

●항초신낙원

●공자묘

morni ● moments in time

●석이과

●쩐주단
경시대

● GATE

일중가야시장 중심지

명현행 ●

행복당 ●

타이거슈가
호호미소보루 ●

지팅 ●

스테핑 스톤 서점 ●

타이중 공원

천사지파이 ●

ADD coffee ●

타이중 공원
臺中公園 | 타이쭝꽁위엔

12헥타르에 달하는 넓은 부지를 가진 공원으로 타이중의 랜드 마크로 불린다. 일제강점기 시절 조성돼 지금까지도 푸르고 아름다운 모습을 유지하고 있다. 일월호日月湖라 불리는 인공호수에 있는 정자인 호심정湖心亭의 모습에서 호젓한 감성이 풍긴다. 공원에서 가장 유명한 것은 호수 가운데에 있는 타이중의 바쁜 도심 속 현지 시민들의 휴식처가 되는 곳으로 산책을 하거나 운동을 하는 현지인들의 모습을 자주 볼 수 있다.

주소_ 台中市北區雙十路一段65號
위치_ 타이중역에서 도보로 약 10분

일중가
一中街 | 이중지에

흔히들 타이중의 명동, 타이중의 시먼(타이베이의 번화가)라고 불리는 곳이다. 대학가를 중심으로 음식점과 간식거리 노점, 의류 판매점 등이 모여들어 하나의 상권을 이룬 곳으로 주변에 학교가 많아 밤낮없이 학생들로 붐빈다. 도로 주변으로는 동서양을 아우르는 다양한 간식거리와 음식점이, 안쪽으로는 다양한 의류 및 잡화 상점이 꽉꽉 들어차있다.

주소_ 台中市北區一中街
위치_ 타이중 공자묘에서 일중가 중심부까지 도보 약 10분

타이중 공자묘
臺中市 | 타이쫑콩먀오

타이중 전역에서 쉽게 볼 수 있는 공자를
모시는 유교 사당으로, 공자를 포함한 다
른 성현들도 함께 기리고 있다. 넓은 정원
까지 여유롭게 돌아보며 공자묘의 정취
를 느껴볼 수 있으며 공자묘 바로 옆에

는 충렬사가 있어 함께 둘러보기 좋다.

홈페이지_ confucius.taichung.gov.tw
주소_ 台中市北區雙十路二段30號
위치_ 타이중공원 Taichung Park(Shuangshi Rd.)
/ 臺中公園(雙十路) 정류장에서 7번 버스 탑승 후
Shuangshi Xingjin Rd. Intersection / 雙十興進路口 에
서 하차. 도보 약 2분
시간_ 화~일 09:00~17:00
전화_ 04-2233-2264

보각선사
寶覺禪寺 | 바오줴찬쓰

일제강점기였던 1927년에 지어진 불교 사원으로 석가모니와 미륵불을 모시고 있다. 대웅보전은 석가모니 상이 모셔진 절을 거대한 석조 건물로 덮은 양식이며, 안쪽의 야외정원으로 더 들어가면 7층 높이에 이르는 거대한 황금빛 미륵대불상이 있다. 푸근하고 인자한 미소를 짓고 있는 미륵대불상은 불자가 아니더라도 저절로 미소를 지어지게 만든다.

주소_ 台中市北區健行路140號
위치_ 타이중 공자묘에서 도보로 약 10분
시간_ 09:00~17:00
전화_ 04-2233-5179

181

향초신락원
香蕉新樂園 | 샹자오신러위엔

사거리에서 기차 모형이 보인다면 제대로 찾아왔다. 대만의 5~60년대 옛 거리를 재현한 향초신락원은 대만의 오래된 감성이 충만한 음식점으로, 과거에 사용했던 물건과 상점 및 식당을 재현한 여러 가지 인테리어 및 소품은 식사를 하는 와중에도 연신 눈길을 이끈다.

메뉴는 딤섬과 훠궈 등 다양한 대만 및 중화권 음식과 차와 주스 등 다양한 음료도 판매하고 있다. 1인당 최소주문금액 NT$100가 있으며 모든 메뉴에 부가세 10%가 포함돼 결제되므로 방문 시 참고하자.

홈페이지_ vernaldew.com.tw
주소_ 台中市北區雙十路二段111之1號
위치_ 타이중 공자묘에서 도보 약 3분
시간_ 11:00~22:30
요금_ NT$60~
전화_ 04-2234-5402

쩐주단
珍煮丹

고풍스러우면서도 현대적인 인테리어가 눈에 띄는 쩐주단은 타이베이 스린 야시장에서 시작해 대만 전역으로 지점을 확장한 버블티 전문점으로, 최근 한국에도 여러 개 지점이 생겼다.
흑당 버블티인 헤이탕쩐주시엔나이黑糖珍珠鮮奶가 가장 많은 주문을 차지하는 메뉴로 당도 조절이 가능하다는 것이 장점인 곳이며, 흑당 버블티의 버블과 음료가 적당히 달달하고 쫄깃하다. 흑당 버블티 외에 기본 밀크티, 우롱티도 인기 메뉴다.

홈페이지_ jenjudan.com
주소_ 台中市北區一中街175號
위치_ 일중가야시장 중심지에서 도보 약 4분
시간_ 월~목 10:00~22:30 / 금,토 10:00~23:30
요금_ 흑당 버블티(黑糖珍珠鮮奶) M사이즈 NT$55
전화_ 04-2225-0386

경시대
輕時代 | 칭시다이

저렴한 가격이 매력적인 버블티 전문점으로 현지 젊은이들에게 인기 있는 곳이다. 대부분의 버블티 전문점이 흑당버블티를

NT$50~70대 선에서 판매하고 있는 것에 비해 흑당버블티 M사이즈의 NT35~45밖에 안되는데, 가격도 저렴한데다 맛도 좋다. 기본 흑당버블티인 헤이탕쩐주시엔나이黑糖珍珠鮮奶는 NT$35, 기본 흑당버블티보다 조금 더 진한 우유맛의 쫑루헤이탕쩐쭈重乳黑糖珍珠는 NT$45로 취향에 따라 골라보자.

홈페이지_ vernaldew.com.tw
주소_ 台中市北區雙十路二段111之1號
위치_ 타이중 공자묘에서 도보 약 3분
시간_ 11:00~22:30
요금_ 기본 흑당버블티(黑糖珍珠鮮奶) NT$35,
진한 흑당버블티(重乳黑糖珍珠) NT$45
전화_ 04-2234-5402

모멘츠 인 타임
moments in time

화이트톤 건물에 다양한 녹색 식물을 두어 깔끔하고 고급스러운 분위기가 느껴지는 건물이 보인다면 바로 모멘츠 인 타임이다. 타이중에서 유럽 감성을 가장 제대로 느낄 수 있는 영국식 티타임 카페로, 카페 내부의 유럽식 인테리어와 소품은 영국으로 순간 이동한 것 같은 착각이들 정도로 훌륭하다.

고풍스러운 영국식 분위기가 다 하는 곳이지만 다양한 브런치 메뉴와 샐러드, 대만 퓨전 음식, 차 및 음료 등의 맛도 좋으며, 타이중 젊은이들의 데이트 장소로 인기 있는 곳이다.

홈페이지_ momentsintime.com.tw
주소_ 台中市北區錦平北街13巷2號
위치_ 경시대에서 도보 약 6분
시간_ 목~월 10:30~19:00 / 화, 수 휴무
요금_ 음료류 NT$90~
전화_ 04-2208-0180

석이과 타이중 중화점
石二鍋 台中中華店 | 스얼궈 타이쫑 중화디엔

대만 전역에서 쉽게 찾아볼 수 있는 훠궈^{火鍋} 전문점이다. 한화 약 8,500원이라는 저렴한 가격부터 훠궈를 먹을 수 있어 현지인들에게 인기 있는 곳으로, 타이중에도 여러 개의 지점이 있다.

1인 훠궈 전문점으로 유명한 곳으로, 바 형식의 테이블에서는 1인 인덕션이 제공돼 혼자 여행자도 편하게 먹을 수 있으며, 여러 명이 함께 먹는 테이블도 마련돼 있다. 달달하고 시원한 동과차가 무한리필로 제공되므로, 가격 걱정은 말고 뜨거운 훠궈를 즐기면서 시원하게 들이켜 보자.

주소_ 台中市北區中華路二段199-6號
위치_ 모멘츠 인 타임에서 도보 약 4분
시간_ 11:30~22:30
요금_ 훠궈류 NT$218~
전화_ 04-2206-5198

모르니
morni

아침 7시부터 오후 2시까지만 운영하는 브런치 식당으로, 인근에 있는 대학생들에게 매우 인기 있는 곳이다.

토스트, 햄버거, 파스타, 리조또 같은 서양식과 덮밥류 같은 일식, 대만식 오믈렛인 딴삥蛋餅이나 무떡같은 대만 현지식도 판매하고 있으며, 특히 대만 현지식을 젊

은 감각으로 현대적이고 깔끔하게 차려내 이목을 끈다. 2층 규모의 건물임에도 불구하고 점심시간에는 사람들로 가득 차 대기가 당연할 정도다.

홈페이지_ facebook.com/MorniTaichung
주소_ 台中市北區五權路386號
위치_ 경시대에서 도보 약 6분
시간_ 목~월 10:30~19:00 / 화, 수 휴무
요금_ 음료류 NT$90~
전화_ 04-2208-0180

석이과 타이중 중화점
明賢行 | 명현행

꽃집인가 싶을 정도로 다양한 식물이 있는 입구로 들어서면 감성적인 편집샵 분위기의 공간이 펼쳐진다. 하지만 이곳은 상점이 아닌 음식점으로, 건강하고 신선한 식재료로 만든 대만 현지 가정식을 정갈하고 깔끔하게 차려내는 곳이다.
주문 즉시 음식을 조리하기 때문에 시간이 다소 소요되지만, 작은 정원에서 식사하는 듯한 기분으로 산뜻하게 식사할 수 있는 공간이다. 향신료 맛이 조금 나기 때문에 향신료 맛에 예민한 사람은 피하는 것이 좋으며, 주인은 영어가 잘 통하지 않지만 영어메뉴판이 있어 주문이 어렵지 않다.

홈페이지_ facebook.com/mingxing162
주소_ 台中市北區大誠街162號
위치_ 일중가야시장 중심지에서 도보 약 6분
시간_ 화~일 10:00~17:00 / 월요일 휴무
요금_ 음식류 NT$120~
전화_ 04-2223-3316

게이트
GATE

간판이나 입구는 특별할 것 없는 카페처럼 보이지만, 막상 문을 열고 들어가면 영화 〈킹스맨〉을 테마로 한 인테리어가 펼쳐지는 특별한 카페다. 고급스럽고 앤틱한 유럽 분위기의 인테리어와 다양한 소품들은 계속 눈길과 카메라를 들이대게 만든다.

디저트나 음료 같은 카페 메뉴와 함께 퓨전 요리나 대만식, 서양식 등 다양한 식사 메뉴가 제공되는데 맛까지 좋은 편이라 눈과 입이 동시에 즐거워진다. 크리스마스, 할로윈 등 특별한 시즌에는 메뉴와 인테리어가 더 특별하고 감각적으로 꾸며지는 곳으로 한번쯤 가볼만한 방문 가치가 있는 곳이다.

홈페이지_ facebook.com/gatedrink
주소_ 台中市北區育才街8號
위치_ 일중가야시장 중심지에서 도보 약 1분
시간_ 수~월 11:00~21:00 / 화요일 휴무
요금_ 음료류 NT$60~
전화_ 04-2225-9527

일중가 야시장
一中街夜市 | 이쫑지에예시

본래 일반 상점가와 음식점이 늘어선 거리이지만, 저녁부터는 여러 곳의 노점이 운영을 시작하면서 야시장 분위기가 난다. 도로가 넓은 편이기 때문에 사람이 많아도 통행에 큰 불편함은 없지만, 도로가 통제된 곳은 아니기 때문에 오토바이는 다소 조심해야한다.

규모는 펑지아 야시장에 비해 많이 작지만, 동서양이 혼재된 다양한 간식거리와 음식점이 펼쳐진 곳으로 먹을거리엔 부족함이 없다.

주소_ 台中市北區一中街

일중가 야시장 맛집 BEST 5

일중가 야시장에는 한국인 입맛과 멀지 않은 동서양의 다양한 음식과 대만 음식이 펼쳐져 있다. 하지만 어느 곳이든 공인된 유명 맛집이 있는 법. 아래에서 소개하는 일중가 야시장 맛집은 타이중에 거주하는 현지인들과 관광객에게 모두 사랑받는 곳이다. 한국인 입맛에 도 편한 일중가 야시장 맛집은 타이중 야시장 탐방 중의 맛있는 기억으로 남을 것이다.

호호미소보루 일중점
好好味 火 蘿油 一中店 | 하오하오웨이빙훠보루워유 이쫑디엔

호호미소보루는 대만의 소보루 전문 체인점으로, 대만 여행을 왔다면 한번쯤 먹어봐야하는 음식으로 꼽힌다. 현지인들에게도 인기있는 곳으로 가격도 저렴하고 맛도 좋기 때문에 한번쯤 먹어보는 것을 추천한다. 인기 메뉴는 기본맛인 파인애플 소보루와 파인애플에 버터를 넣은 파인애플 버터 소보루다. 메뉴판에 영어가 써져있으므로 주문이 어렵지 않다.

주소_ 台中市北區一中街96號之6號   **위치_** 일중가야시장 중심지에서 도보 약 1분
시간_ 월~목 12:00~22:00 / 금 12:00~22:30 / 토 11:00~22:30 / 일 11:00~22:00
요금_ 파인애플 소보루 pineapple bun NT$35 / 파인애플 버터 소보루 pineapple bun with butter NT$ 40
전화_ 04-2221-8988

타이거슈가 일중점
老虎堂 台中一中店 | 라오후탕 타이쫑이쫑디엔

대만 흑당버블티의 원조인 타이거 슈가의 본점이
다. 현지인들에게는 인기가 많이 사그러들었기 때
문에 대기줄은 없는 편이다. 원조답게 흑당버블우
유를 판매하고 있으며 메뉴판에 한글 표기는 없지
만 영어가 표기돼있다. 최고 인기 메뉴는 크림이 들
어간 흑당버블우유로 가장 위에 있는 메뉴이며, 크
림을 좋아하지 않는다면 크림이 들어가지 않은 바
로 아래의 메뉴를 시키면 된다. 타이거슈가는 버블
이 달기보다는 우유맛이 단 편이다.

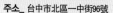

주소_ 台中市北區一中街96號
시간_ 월~목 11:00~21:30 / 금~일 11:00~22:00
요금_ 흑당버블우유
      (Brown Sugar Boba Milk 또는 + with Cream mousse) NT$50
전화_ 04-2229-0190

행복당 일중점
幸福堂台中一中店 | 싱푸탕타이쫑이쫑디엔

행복당은 대만에서 한창 인기를 끌고 있는 버블티
전문점으로 역시 흑당버블이 가장 유명하다. 행복
당의 베스트 메뉴는 흑당버블티가 아닌 흑당버블밀
크인데, 본래 흑당버블은 밀크티가 아닌 밀크, 즉 우
유만 들어간 것이 오리지날이다.
행복당의 흑당버블우유에 들어가는 버블은 흑설탕
에 계속 졸인 버블을 주기 때문에 음료는 덜 단 편
이며, 버블이 달다. 메뉴판에 영어와 한국어 표기가
돼있기 때문에 주문은 어렵지 않으며, 영어로 주문
해도 알아듣는다.

주소_ 台中市北區育才街29號 **시간_** 11:00~22:00
요금_ 흑당버블우유((Brown Sugar Boba Milk) NT$50 **전화_** 04-2225-0225

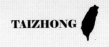

지팅 일중점
偈亭泡菜鍋 一中店幸福堂台中一中店 | 지팅파오차이궈이쫑디엔

1인 핫팟으로 인기 있는 음식점이다. 현지인들이 즐겨 찾는 곳으로 향신료 맛이 많이 나지 않아 한국인들도 좋아하는 곳이다. 메뉴는 우유 핫팟과 김치핫팟이 유명한데 우유 핫팟은 호불호가 다소 갈리며, 김치 핫팟은 살짝 매콤한 정도다.

핫팟 안에는 다양한 어묵과 완자 밑에 숨겨져 있어 찾아먹는 맛이 있다. 탄산음료와 먹으면 최고의 궁합일 것 같으나 매장에서는 판매하지 않으므로, 근처에서 구매해 와 먹어도 된다. 식사시간에는 웨이팅이 다소 있는 편이며, 일중가에서 멀지 않은 곳에 두개의 지점이 더 있다.

주소_ 台中市北區三民路三段106巷14號　**시간_** 12:00～22:00
요금_ 김치핫팟 NT\$170 / 우유핫팟 NT\$180　**전화_** 04-2227-2377

천사지파이 일중점
天使 排一中店 | 티엔쉬지파이-이쫑디엔

지파이는 닭고기를 납작하게 눌러 튀긴 대만식 닭고기 튀김이다. 손바닥보다 큰 지파이는 겉은 바삭하고 속은 촉촉하며, 맛있게 짠 맛이다. 천사지파이는 기본맛인 오리지날과 매운맛인 스파이시가 있는데, 스파이시는 향신료 맛이 나기 때문에 호불호가 다소 갈린다.

메뉴판에 영어 표기가 돼있으며 'Original one' or 'Spicy one'이라고만 말해도 주문이 가능하다. 지파이는 밑부분에 뼈가 있으므로 밑으로 갈수록 조심해서 먹어야한다.

주소_ 台中市北區一中街96號
시간_ 월～금 14:00～23:00 / 토, 일 12:00～23:00
요금_ 지파이 NT\$75 **전화_** 0902-020-622

西區

시구 | Xi Qu

光區
시   구

시구^{西區}는 타이중이 자랑하는 볼거리와 대만 현지 음식 맛집, 특색과 감성이 넘치는 카페가 몰려있는 곳으로 타이중 여행에서 절대로 빠져서는 안 될 곳과 같다. 특히 시구에 있는 심계신촌과 초오광장은 타이중의 감성 핫 플레이스로, 타이중 젊은이들의 데이트 코스로도 인기 있는 곳이다. 감성적으로 꾸며진 볼거리와 즐길 거리가 가득한 곳이므로 감성적인 분위기를 선호하는 여행자들에게 추천한다.

시구 여행 잘하는 법
심계신촌은 날이 어두워진 후 불이 하나둘씩 켜졌을 때 더욱 감성적이지만, 너무 늦은 시간에 방문한다면 영업이 끝난 곳이 많으므로 적어도 늦은 오후쯤에는 방문해야 다양한 모습을 볼 수 있다. 또 시구의 맛집들은 늦은 시간까지 운영하는 경우가 많다. 낮에는 시구의 볼거리와 카페 및 감성 플레이스를 탐방하고 나서 저녁으로 맛집을 찾아간다면, 시내 관광도 충분히 즐기며 식사까지 완벽하게 끝낼 수 있을 것이다.

템퍼스 호텔

52호텔

국립자연과학박물관

수마마딴빙
백성향우육면
더 스플렌더 호텔 타이중

장펑일가

칼튼호텔
No Name Cafe
소고백화점

R-star카페

초오도

친메이 미술관
친메이 쇼핑몰
스타호스텔 파크레인
춘부라오 마사지

무위초당

딩왕마라훠궈

칭징저

수화탄화고어

단순정

스트레이버즈
미촌점두빙
랜디스 호텔

1% 베이커리

초오광장

탱고 호텔
어선당 마사지

초오도

녹광계획

채당효선병포

심계신촌

요괴빙수
국립대만미술관

유천수안경관보도

일출

애니메이션 벽화거리
춘수당
타이중 제5시장

도화육예문화관

유천수안경관보도
柳川水岸景觀步道 | 류촨쉐이안징관부다오

영구성 생태 공법으로 개발한 경관 하천으로 서울의 청계천과 비슷한 느낌이다. 낮에는 널찍하고 푸른 경치를 즐기고, 밤에는 색색깔의 조명이 켜져 흐르는 물소리와 함께 낭만적인 풍경을 즐길 수 있다. 타이중의 미식 탐방으로 배가 부를 때, 숙소에서 멀리 가긴 피곤한데 무언가 구경하며 산책하고 싶을 때 산책하면서 둘러보면 좋은 곳이다.

주소_ 台中市中區柳川西路三段
위치_ 타이중 제 2시장에서 도보 약 3분

도화육예문화관
道禾六藝文化館 | 따오허류이원화관

타이중시에 단 한 개 남아있는 일제시대의 무술도관으로 1937년에 건축됐으며, 타이중 형무소 사옥관의 연무장으로 사용됐던 곳이다. 도화육예문화관을 들어가면 바로 보이는 곳은 무술연습장으로 쓰였던 유화관惟和館(웨이허관)으로, 현재는 검도와 다도 체험장으로 사용하고 있다. 유화관 옆에 있는 심행관心行館(씬항관)은 과거 클럽으로 운영했던 곳으로, 현재는 카페로 쓰이고 있으며 감성적이고 풍경 좋은 곳에서 차를 마실 수 있다. 건물 뒤편에는 큰 나무와 함께 기숙사였던 전습관傳習館(촨시관)이 있으며, 전습관은 현재 양궁과 서예 체험장으로 사용하고 있다.

홈페이지_ sixarts.org.tw
주소_ 台中市西區林森路33號
위치_ 타이중역 인근의 Taichung Station (Chenggong Rd. Intersection) / 臺中車站(成功路口) 정류장에서 21번 버스 탑승 후 Natural Way Six Arts Cultural Center /臺中刑務所演武場 에서 하차, 도보 약 2분
시간_ 화~토 09:30~22:00 / 일 9:30~18:00
　　　월 09:30~17:00
요금_ 심행관 1인 티세트 NT$220
전화_ 04-2375-9366

타이중 제 5시장
臺中第五市場 | 타이쫑디우시창

대만 현지 음식, 과일 판매점, 의류 및 생활품 판매점이 대부분의 자리를 차지하고 있는 재래시장이다. 관광객은 전혀 없이 현지인들만의 전유물 같은 느낌이 드는 곳으로 중년의 현지인들이 주 고객층이다. 건물 안에 있는 상점 및 음식점들은 이른 오후에 문을 닫는 곳이 많고, 주변에 포진한 곳들은 저녁까지 문을 연 경우가 많다. 시장 바깥쪽 한 켠에는 작은 규모의 꽃시장이 있어 소소하게 구경하기 좋으며, 현지인들이 몰려있는 음식점 몇 군데가 눈에 확 띄어 맛집을 파악하기 쉽다.

홈페이지_ 5market.com.tw
주소_ 台中市西區大明街9號
위치_ 도화육예문화관에서 도보 약 7분
시간_ 08:00~14:00
전화_ 04-2227-9299

애니메이션 벽화거리
動漫彩繪巷 | 동만차이후이시앙

80~90년대 출생자에게 익숙하고 인기
있었던 동서양의 다양한 애니메이션 캐
릭터들이 그려져 있는 벽화거리다. 원작
자가 직접 와서 그렸다고 해도 될 정도로
상당히 수준급의 그림이 길을 따라 이어

져있지만, 벽화 거리 자체는 별로 길지 않
기 때문에 짧은 규모에 다소 실망할 수도
있는 점을 염두하고 방문하는 것이 좋다.

주소_ 台中市西區林森路100巷
위치_ 도화육예문화관에서 도보 약 8분

국립대만미술관

國立台灣美術館 | 궈리타이완메이슈관

총 24개의 전시실이 있는 대만 유일의 국립 미술관으로 1988년 개관했다. 대만의 미술사를 한 눈에 볼 수 있으며 현대 미술 작품과 다양한 전시가 정기적으로 열린다. 설치 미술 작품이 곳곳에 있는 미술관 외부의 공원까지 포함하면 아시아에서 가장 큰 미술관으로 꼽는다.

대부분의 전시를 무료로 관람할 수 있으며 이따금 있는 특별 전시는 유료로 운영된다. 1층 기념품 상점에서 예쁘고 다양한 기념품을 만나볼 수 있으며(사진 촬영 불가), 지하에 춘수당이 있어 관람 후 식사나 차를 마시며 쉬어가기 좋다.

홈페이지_ ntmofa.gov.tw
주소_ 台中市北區雙十路二段30號
위치_ 타이중역 Taichung Railway Station / 臺中車站 (民族路口) 정류장에서 75번 버스 탑승 후 Fine Arts of Museum (Wuquan W. Rd) /美術館(五權西路) 에서 하차, 도보 약 3분
시간_ 화~금,일 10:00~18:00 / 토 10:00~20:00 월요일 휴무
전화_ 04-2233-2264

일출 대지점
日出大地的乳酪蛋糕
르추다디데루라오당고

초코, 와인, 꿀 등이 들어간 다양한 맛의 치즈케이크로 유명한 베이커리다. 치즈케이크 외에 펑리수凤梨酥 또한 맛있기로 유명하며, 다양한 맛의 차도 구매할 수 있다. 타이중에만 4개의 지점이 있는데 모든 지점이 인테리어가 다르며, 특히 대지점은 내부 인테리어가 대만 감성 넘치는 고급스러운 인테리어로 눈과 입이 즐거워지는 곳이기도 하다.

홈페이지_ dawncake.com.tw
주소_ 台中市西區五權西三街43號
위치_ 국립대만미술관에서 도보 약 5분
시간_ 일~목 10:00~21:00 / 금,토 10:00~22:00
전화_ 04-2376-1135

심계신촌
審計新村 | 션찌신춘

과거 심계처라는 정부 부처 직원들의 기숙사로 활용됐던 곳으로 오랫동안 방치돼있었다. 이후 타이중시 정부에서 '별을 따는 청년, 꿈을 만드는 타이중'이라는 슬로건으로 청년 창업 기지를 만들어나갔고, 심계신촌도 이 프로젝트의 일환으로 오래된 건물을 리모델링하면서 감각적이고 독창적인 타이중의 청년들이 속속들이 들어와 자리를 잡으며 지금의 모습으로 변화됐다.

독특하고 창의적이면서도 감성을 잃지 않은 다양한 컨셉의 상점과 식당, 카페 등이 모여 있으며 주말에는 플리마켓이 열려 활기차고 즐거운 분위기에서 다양한 볼거리를 구경할 수 있다. 저녁 이후로는 대부분의 상점이 닫기 때문에 늦어도 오후에 가는 것이 좋다.

홈페이지_ facebook.com/shenji368
주소_ 台中市西區民生路368巷
위치_ 국립대만미술관에서 도보 약 5분
시간_ 상점마다 운영시간 상이함

녹광계획
綠光計畫 | 뤼광지화

판타지 스토리fantasy story에서 주관하는 예술문화단지로 나만의 숨겨진 타이중 감성 플레이스를 찾기 좋은 곳이다. 심계신촌보다는 작지만 찾는 사람이 적어서 여유롭게 즐길 수 있으며, 심계신촌은 번화하고 현대적인 감성이라면 녹광계획은

아기자기하고 특색 넘치는 상점과 공방, 카페 등이 있어 조금 더 특별한 감성을 만날 수 있다.
심계신촌과 같이 저녁 이후로 문을 닫는 상점이 많기 때문에 늦어도 오후에 가는 것이 좋다.

홈페이지_ fantasystory.com.tw
주소_ 台中市西區中興一巷19號
위치_ 심계신촌에서 도보 약 5분
시간_ 상점마다 운영시간 상이함

초오도
草悟道 | 차오우다오

국립대만미술관에서 국립자연과학박물관까지 이어지는 거리로, 녹음이 우거진 직선의 공원을 따라 현대적이고 번화한 타이중의 모습이 펼쳐진다.
다양한 잡화 및 의류 상점, 개성 넘치고 예쁜 카페와 다양한 종류의 레스토랑 등은 홀린 듯 들어가 보고 싶어지며, 곳곳에 자리를 편 잡화 노점과 버스킹을 하는 젊은 청년들의 노래 또한 초오도의 매력을 더한다. 천천히 거닐며 이곳 저곳을 둘러보는 산책을 좋아한다면 약 2㎞의 차오도를 한번쯤 쭉 걸어보는 것도 추천한다.

주소_ 台中市西區向上北路
위치_ 국립대만미술관에서 국립자연과학박물관까지 이어지는 거리

초오광장
草悟廣場 | 차오우광창

초오도 중간에 마련된 광장으로, 낮에 방문하는 것도 좋지만 날이 어두워지고 조명이 하나둘씩 켜졌을 때 더욱 낭만적인 풍경이 펼쳐진다.
광장에는 작은 놀이기구가 있는 미니 놀이공원, 분위기 있고 감각적인 상점, 개성 과 특색 있는 다양한 잡화를 판매하는 플리마켓 등 여러 가지 볼거리가 마련돼 있으며, 주말에는 여러 가지 행사가 펼쳐져 더욱 활기차고 신나는 분위기를 즐길 수 있다.

홈페이지_ www.youcaowu.com
주소_ 台中市西區英才路534號
위치_ 초오도 중간
시간_ 상점마다 운영시간 상이함

채당효선병포

采棠肴鮮餅鋪 | 차이탕야오시엔빙푸

대만식 전통 과자 전문점으로 다양한 대만 디저트를 판매한다. 짭쪼롬하고 달달한 수제 누가 크래커와 진득한 파인애플 과육이 잔뜩 들어있는 펑리수凤梨酥, 타이중 특산품 타이양빙太陽餅이 가장 인기 있는 메뉴다.

각각의 세트도 있지만 3개의 인기메뉴가 여러 개 섞여있는 세트메뉴도 판매하고 있어 선택의 폭이 넓다. 영어는 통하지 않지만 한국인에게 누가 크래커로 인기가 많은 상점이기 때문에 한국어로 안내된 메뉴판이 있어 주문에 큰 어려움은 없다.

홈페이지_ cake99.com
주소_ 台中市西區東興路三段46號
위치_ 녹광계획에서 약 1㎞
시간_ 08:00~21:00
요금_ 누가크래커 20개입 NT$300
　　　　펑리수 6개입 NTS240
　　　　타이양빙 5개입 NT$150
전화_ 04-2472-2299

친메이쇼핑몰
勤美誠品綠園道 | 친메이청핀뤼위엔따오

건물에 심어진 푸른색의 녹색 식물이 눈에 띄는 친메이쇼핑몰은 버려진지 오래된 주차장 건물에 14만주의 식물을 심으며 타이중의 새로운 핫 플레이스로 재탄생한 곳이다.
동서양의 다양한 음식을 판매하는 식당과 화장품, 의류 및 잡화상점 등이 여러개 입점해있어 작은 백화점 같은 느낌이다. 특히 3층에 위치한 청핀 서점이 가장 유명하며 우리나라의 교보문고와 같이 서점과 함께 다양한 잡화를 판매하여 가볍게 둘러보며 쇼핑하기 좋다.

홈페이지_ parklane.com.tw
주소_ 台中市西區公益路68號
위치_ 녹광계획에서 약 1km
시간_ 월~금 11:00~22:00 / 토, 일 10:30~22:00
전화_ 04-2328-1000

친메이 미술관
勤美術館 | 친메이슈관

친메이 쇼핑몰 옆에 위치한 미술관으로 2010년에 개관했다. 예술을 삶에 실천하는 형태를 주장하며, 일반적인 미술관처럼 건물 안에 미술품이 설치된 것이 아닌 개방적인 공간에 놓아진 미술 작품이 특징인 곳으로 주변 환경 및 풍경과 소통하고 상호작용하는 예술을 만들어냈다.

미술품 전시는 정기적으로 바뀌며, 이해하기 어려운 현대 미술 작품보다는 시민들이 좀 더 쉽게 다가갈 수 있고 즐길 수 있는 작품 위주로 전시되기 때문에 여행자들도 편하게 접근할 수 있다.

홈페이지_ cmpblockmuseum.tw
주소_ 台中市西區館前路71號
위치_ 친메이 쇼핑몰 옆
시간_ 월~금 11:00~17:00 / 토, 일 11:00~17:30
　　　 월요일 휴무
전화_ 080-026-6155

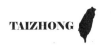

광삼 소고백화점

廣三SOGO百貨 | 광산소고바이후어

대만 전역에 있는 소고백화점의 타이중 지점이다. 내외부 인테리어가 다소 세련되지 않은 느낌이긴 하지만, 특별한 시즌에는 과거의 감성이 듬뿍 담긴 화려한 데코레이션이 돋보이는 곳이다.

15층의 큰 규모로 다양한 화장품과 명품 매장, 의류 및 잡화 상점으로 가득 차있어 무난하게 구경하기 좋은 곳이다. 13층에서 16층까지는 동서양을 아우르는 다양한 음식점이 입점해있기 때문에 식사 메뉴 선택의 폭이 넓다.

홈페이지_ kssogo.com.tw
주소_ 台中市西區台灣大道二段459號
위치_ 초오도에서 도보 약 5분
시간_ 월~금 11:00~22:00 / 토,일 10:30~22:00
전화_ 04-2323-3788

국립자연과학박물관
國立自然科學博物館 | 궈리쯔란커쉐보우관

1986년 설립된 대만 최초의 과학박물관으로 우주, 공룡, 환경 등에 관한 전시를 감상할 수 있는 곳이다. 무료 전시도 있지만 큰 볼거리가 없기 때문에 방문 예정이라면 입장료를 지불하고 유료 전시를 감상하는 것이 더 나으며, 뒤편에는 NT$10의 유료 식물원이 자리해있다.

수요일은 10시 이전 입장 시 무료로 입장할 수 있으나 볼만한 전시와 특별전은 제외되는 것이 다소 아쉽다. 학생들이 체험학습으로 자주 찾는 곳으로 어린이 동반 가족이 방문하기 좋다.

홈페이지_ nmns.edu.tw
주소_ 台中市北區館前路1號
위치_ 광산소고백화점에서 도보 약 10분
시간_ 화~일 09:00~17:00 / 월요일 휴무
요금_ 성인 NT$100 / 6세 미만 무료
전화_ 04-2322-6940

정명일가
精明一街 | 징밍이제

높이 솟은 진녹의 가로수를 두고 양 옆으로 카페와 음식점, 편집샵, 의류 및 잡화점 등이 늘어선 곳으로, 타이중에서 유럽 거리에 한복판에 들어온 듯한 느낌을 받을 수 있는 곳이다.
약 200m의 짧은 거리지만 다양한 볼거리들이 가진 매력이 그 작은 규모를 상쇄시키며, 입구 바로 옆에 춘수당이 있어 큰 고민 없이 식사와 음료를 해결할 수 있기도 하다. 낮에 방문해도 좋지만 땅거미가 지기 전에 방문해 상점들을 구경한 후, 저녁에는 식사와 차를 마시면서 낭만적으로 변한 정명일가의 분위기를 한껏 느끼며 타이중에서의 느린 여행을 즐겨보자.

주소_ 台中市西屯區精明一街
위치_ 광산소고백화점에서 도보 약 10분

EATING

춘수당 본점
春水堂創始店 | 춘수이탕창시디엔

춘수당은 대만을 대표하는 음료인 쩐쭈나이차를 최초로 만들어낸 곳으로 대만 여행에서 절대 빼놓을 수 없는 음식점과도 같다. 특히 타이중에는 춘수당 본점이 있어 더 의미가 있으며, 춘수당 본점은 번화가와는 멀리 떨어진 주택가 사이에 위치해있다. 본점은 규모가 소소하게 작지만 그러한 특성 자체가 본점의 매력을 더

살려주는 느낌이다. 춘수당은 쩐쭈나이차 뿐만 아니라 다양한 대만 현지 음식을 판매하는 곳이므로, 식사와 차까지 한번에 해결하며 배부른 휴식을 즐기기 좋다.

주소_ 台中市西區四維街30號
위치_ 타이중 제 5시장에서 도보 약 5분
시간_ 08:00〜22:00
요금_ 쩐주나이차 NT$70〜
전화_ 04-2229-7991

요괴빙수
路地 氷の怪物 | 루디빙노과이우

조용한 주택가 사이에 일반 단독 주택처럼 자리해있기 때문에 무심코 지나칠 수도 있는 요괴빙수는 귀여운 요괴 모양의 빙수로 인기 있는 빙수 전문점이다. 대만 특유의 대패모양에 알록달록한 색깔과 귀여운 눈이 붙여진 요괴빙수는 저절로 카메라를 가져가게 되며, 맛 또한 괜찮은 편이다. 하지만 독특한 메뉴보다는 클래식한 메뉴를 시키는 것이 혀와 기분을 위한 안전한 선택이 될 것이다.

홈페이지_ roji.com.tw
주소_ 台中市西區存中街61巷1號
위치_ 국립대만미술관에서 도보 약 5분
시간_ 12:00〜21:00
요금_ 빙수류 NT$200
전화_ 04-2376-6776

미촌점두빙
美村點頭冰 | 메이춘뎬터우빙

2000년에 개점한 빙수 전문점으로 잘 갈린 물얼음. 우유얼음 빙수에 다양한 과일과 팥 등 다양한 토핑이 올라간 빙수를 선보인다. 빙질은 눈꽃빙수처럼 부드럽지 않으므로 시원한 옛날 얼음빙수 스타일을 선호하는 여행자들에게 좋다.

11월부터 3~4월 까지는 동절기 휴무로 영업을 하지 않기 때문에 방문 시 주의하는 것이 좋으며, 구글맵에 있는 페이스북 페이지를 참고해 휴무 일정을 확인하면 헛걸음하지 않을 수 있다.

주소_ 台中市西區美村路一段176號
위치_ 초오도 광장에서 도보 약 5분
시간_ 12:00~23:00
요금_ 빙수류 NT$70~
전화_ 04-2301-2526

단순정 타이중 공익점
段純貞-台中公益店
두안춘지엔타이쫑꿍이디엔

대만 사람들의 소울푸드인 우육면의 전문점이다. 우육면 맛집은 대부분 위생적인 면에서 약간 아쉬울 정도인 경우가 많아 다소 꺼려질 수 있는데, 이곳은 현대적인 프리미엄 우육면 체인점으로 위생뿐만 아니라 맛 또한 걱정하지 않아도 되는 곳이다. 물론 저렴한 현지 우육면 집에 비해 조금 더 가—격이 있다는 것이 단점이긴 하지만, 시원하고 깨끗한 환경에서 맛있는 우육면을 먹고 싶은 여행자들에게 권하는 곳이다.

홈페이지_ facebook.com/dcz0423052799
주소_ 台中市西區公益路235號
위치_ 미촌점두빙에서 도보 약 4분
시간_ 11:00〜14:00, 17:00〜21:00
요금_ 우육면류 NT$160〜
전화_ 04-2305-2799

수화탄화고어

水貨炭火烤魚 | 슈이훠탄후어카오위

대만식 마라 생선찜 맛집으로 KBS〈배틀 트립〉에 방송되면서 한국인 여행자들에게 유명해진 음식점이다. 본래 현지 젊은 이들에게 각광받는 음식점으로 식사시간 대에는 웨이팅이 있다.
매장 인테리어가 생선찜 전문점답지 않게 힙한 홍대 음식점 같은 느낌에 음식의 비주얼 또한 카메라 렌즈를 부르는 곳이라 눈도 입도 즐거워지는 곳이다. 가격대는 조금 있지만 타이중에서 독특하고 맛있는 현지 음식을 먹어보고 싶다면 방문해봐도 좋을 곳이다.

홈페이지_ seahood.com.tw
주소_ 台中市西區公益路168號
위치_ 단순정에서 도보 약 2분
시간_ 11:00~15:00, 17:30~24:00
요금_ 음식류 NT$318~
전화_ 04-2321-0187

R-star 카페
R星咖啡 | 알싱카페이

고양이 덕후라면 놓쳐선 안 될 타이중의 고양이 카페다. 문을 열고 들어서자마자 고양이들이 곳곳에서 잠을 자고 장난치며 우다다 뛰어다니는 모습을 볼 수 있어 눈이 행복해진다.
귀여운 고양이들 뿐만 아니라 내부 인테리어가 감성적이고 아기자기해서 여기저기 돌아다니며 사진을 찍기도 좋고, 음식은 맛도 훌륭할 뿐더러 예쁘게 세팅돼 나오는 편이라 예쁜 사진을 찍고 싶은 여행자에게도 추천하는 곳이다.

홈페이지_ facebook.com/robotstation2
주소_ 台中市西區忠明南路101號
위치_ 수화탄화고어에서 도보 약 4분
시간_ 10:00~22:00
요금_ 음료류 NT$109~
전화_ 04-2326-8385

NO Name Cafe
沒有名字的咖啡館 | 메이요밍즈더카페이관

노 네임 카페라는 카페 이름처럼 현지 주택가 사이에서 간판도 없이 운영하는 현지 카페다. 현지 젊은이들에게 인기 있는 장소로 테이블이 몇 개 없고 규모 자체도 작은 편이라 아쉽지만, 그래서 더욱 매력이 넘치는 곳이다. 매장 인테리어 또한 현대적인 것 같으면서도 다양한 모양의 의자와 테이블, 매장 곳곳에 있는 소품이 복고 감성이 폴폴 풍긴다. 메뉴가 많지는 않지만 선택의 폭은 충분한 커피와 디저트는 맛 또한 좋은 편이다. 친절한 남성 주인은 영어가 잘 통하지 않지만 메뉴판에 영어가 잘 표기돼있어 주문에 큰 어려움이 없다.

홈페이지_ facebook.com/mingxing162
주소_ 台中市西區公益路174巷212號
위치_ 수화탄화고어에서 도보 약 4분
시간_ 목〜화 13:00〜20:00 / 수요일 휴무
요금_ 음료류 NT$100〜

백성향우육면
百里香牛肉麵 | 빠이리시양뉴러우멘

오후 5시 반부터 8시 반까지만 운영하는 현지 우육면 맛집이다. 무슨 자신감으로 이렇게 짧은 시간을 영업하는 건가 싶지만, 사람들이 대기하는 모습과 우육면 맛을 보면 이렇게 해도 되겠구나 싶을 정도다. 젊은 직원이 간단한 한국어가 가능하기 때문에 주문에 큰 어려움은 없다.

향신료 맛이 많이 나지 않기 때문에 편하게 먹을 수 있고, 양념을 넣으면 호불호가 다소 갈리므로 입맛에 맞게 조심히 넣는 것이 좋다. 우육면은 소(小)자도 충분히 배불리 먹을 수 있으나, 시키기도 전에 아쉬울 것 같다면 직원이 말려도 대자를 시키자. 합석이 기본적인 곳이므로 혼자 여행자는 운이 좋으면 오랜 기다림 없이 먹을 수도 있다.

주소_ 台中市西區中美街607號
위치_ 광삼소고백화점에서 도보 약 4분
시간_ 화~일 17:30~20:30 / 월요일 휴무
요금_ 우육면 소(小) NT$100
전화_ 0985-777-759

수마마딴빙
蘇媽媽蛋餅

Olive 〈원나잇 푸드트립〉에 방영되면서 한국인 여행자들에게 알려진 딴빙 전문점이다. 딴빙은 대체로 아침식사로 먹기 때문에 수마마딴빙 또한 오전 7시부터 정오까지만 운영하므로 영업 시간에 주의하여 방문해야한다.

에어컨 하나 없는 실외 음식점이기 때문에 다소 더운감이 있지만, 한화 500원도 안 되는 시원한 홍차와 함께 딴빙을 먹으면 더위가 좀 가신다. 직원들은 영어가 전혀 통하지 않지만 메뉴판에 영어 표기가 잘 돼있어 주문하기 편하다.

홈페이지_ facebook.com/Sumama605
주소_ 台中市西區中美街605號
위치_ 백성향우육면에서 도보 약 1분
시간_ 목~화 07:00~12:00 / 수요일 휴무
요금_ 딴빙류 NT$20~ / 홍차 NT$10
전화_ 0968-525-042

칭징저 공익점
輕井澤 公益店 | 칭징저꽁이디엔

현지인들뿐만 아니라 한국인 여행자들에게 유명한 훠궈 전문점으로, NT$218이라는 저렴한 가격부터 훠궈를 먹을 수 있어 인기가 많은 곳이다.

매장은 2층 규모로 크고 넓은 편이지만 언제나 사람들로 인산인해를 이루는 곳으로 식사 시간대와 주말에는 언제나 웨이팅이 있을 정도로 인기가 좋다. 번역기로 막 돌린 이상한 한국어가 아닌 제대로 된 한국어 메뉴가 준비돼있어 주문에 어려움이 없으며, 달달하고 시원한 홍차가 무한 리필이다.

주소_ 台中市西區公益路276號
위치_ 수화탄화고어에서 도보 약 5분
시간_ 11:00~25:00
요금_ 훠궈류 NT$218~
전화_ 04-2327-4747

1% 베이커리

여러 가지 케이크를 판매하는 베이커리 체인점으로, 특히 다양한 맛의 꾸덕한 치즈케이크가 유명하고 맛있는 곳이다. 젊은 직원들은 영어가 조금 통하는 편이며 영어 표기 또한 잘 돼있기 때문에 주문하기는 어렵지 않다.

테이블이 많지 않고 현지인들에게 인기 있는 곳이기 때문에 한산한 평일 낮 즈음에 방문해보는 것이 좋다.

주소_ 台中市西區公益路371號
위치_ 칭징저 맞은편
시간_ 12:00~20:30
요금_ 케이크류 NT$120~
전화_ 04-2310-7900

딩왕마라훠궈 공익점
鼎王麻辣鍋 公益店 | 딩왕마라궈꽁이디엔

타이중 중샤오 야시장에서 처음 시작해 인기를 힘입어 대만 전역에 체인점을 두고 있는 훠궈 전문점이다. 현지인들에게 인기가 많은 식당으로 온라인 예약이 가능하기 때문에 예약 후 대기 없이 방문하는 편이 더 좋다.

국물은 일반 백탕같지만 절인 배추가 들어간 쏸차이바이러우궈酸菜白肉鍋와 톡 쏘는 매운 맛의 마라궈麻辣鍋가 있으며, 현지 음식 문화에 가까운 국물이기 때문에 현지 음식 맛에 도전해보고 싶은 여행자에게 추천한다. 물론 향신료 향이 못 먹을 정도로 크게 거북한 것은 아니므로 걱정은 덜어둬도 되며, 한국어 메뉴판이 준비돼있기 때문에 주문이 어렵지 않다.

예약홈페이지_ inline.app/booking/
　　　　　　─LDaBuB5UvBj5xtnOUIH
주소_ 台中市南屯區公益路二段42號
위치_ 칭징저에서 도보 약 2분
시간_ 11:30〜익일 06:00
요금_ 훠궈 2인기준 NT$1300〜
전화_ 04-2326-1718

무위초당
無為草堂 | 우웨이차오탕

일본식 목조 건물과 중국식 정원 양식의 조합이 모든 사람들의 취향을 저격하는 차 전문점이다. 타이중 도심에서 따로 뚝 떨어져 있는 것 같은 느낌이 드는 곳으로, 멋들어진 풍경과 분위기에서 맛있는 차를 즐기고 싶을 때 추천하는 곳이다. 연못가에서는 색색깔의 잉어들이 평화롭게 유유히 헤엄치는 모습을 보며 차를 마실 수 있다. 가격은 저렴하지 않지만 분위기 값이라고 생각하면 다소 아까울 정도는 아니며, 정갈하게 나오는 식사와 차를 함께 마시면 할인이 된다.

홈페이지_ wuwei.com.tw
주소_ 台中市南屯區公益路二段106號
위치_ 딩왕마라훠궈에서 도보 약 3분
시간_ 10:30~21:30
요금_ 1인 티 세트 NT$220~
전화_ 04-2329-6707

더 랜디스 호텔 타이중
The Landis Hotel Taichung
台中亞緻大飯店 | 타이쭝야지다판디엔

초오도의 푸른 풍경을 가장 잘 감상할 수 있는 5성급 호텔이다. 주변 건물 중 가장 높은 설화 국제 타워 고층에 위치해있기 때문에 주변 어디서든, 낮이든 밤이든 잘 보여 지도를 보지 않아도 숙소를 쉽게 찾아갈 수 있는 장점이 있다.
또 압도적인 크기 덕분에 숙박비가 비쌀 것 같지만 의외로 성급 대비 저렴한 가격

에 머물 수 있는 것이 매력적인 곳이다. 숙소 근처에 다양한 현지 식당이 있으며 영어 소통이 원활하고 친절한 직원, 가격 대비 넓은 룸에 깨끗한 시설, 다양한 서비스는 당연하다.

///

홈페이지_ landishotelsresorts.com
주소_ 台中市西區忠明路52號
위치_ 초오도 앞, 타이중 기차역 뒤편 Taichung Railway Station(E Station) 臺中火車站(東站) 정류장에서 51번 버스 탑승 후 Yingcai Gongyi Rd. Intersection / 英才公益路口 정류장에서 하차하여 도보 약 1분
요금_ NT$3,620〜
전화_ 04-2303-1234

더 스플렌더 호텔 타이중
The Splendor Hotel Taichung
台中金典酒店 | 타이쭝진디안지우디엔

다양한 부대시설이 눈길을 사로잡는 5성 급호텔 더 스플렌더 호텔 타이중은 타이중의 시내를 한눈에 감상할 수 있는 고층 야외수영장을 자랑한다.

호텔 내부에 있는 레스토랑뿐만 아니라 호텔 아래에 있는 복합쇼핑몰 단지에 도 다양한 식당과 볼거리가 있으며, 멀리 나가지 않고도 여러 가지를 한 번에 즐길 수 있어 호캉스에 최적인 호텔이다. 룸은 깨끗하고 널찍한 편이지만 매우 고급스럽거나 세련된 편은 아니라 호불호가 다소 갈린다.

홈페이지_ splendor-taichung.com.tw
주소_ 台中市西區健行路1049號
위치_ 광삼소고백화점에서 도보 약 2분
요금_ NT$3,280~
전화_ 04-2328-8000

227

템푸스 호텔 타이중
Tempus Hotel Taichung
永豐棧酒店 | 용펑잔지우디엔

휴양지 리조트 느낌의 야외수영장을 갖춘 5성급 호텔로 성급 대비 저렴한 가격에 숙박할 수 있는 곳이다. 룸은 세련되지는 않았지만 적당히 고급스러운 곳으로, 넓고 깨끗한 편이다.
조식이 중화권 음식보다는 양식으로 갖추어진 형태로 한국인 투숙객들의 만족도가 높은 편이며, 직원들도 친절하고 다양한 서비스의 질이 높은 편이라 재방문율과 평이 좋은 호텔이다.

홈페이지_ tempus.com.tw
주소_ 台中市西屯區台灣大道二段689號
위치_ 정명일가에서 도보 약 5분
요금_ NT$3,570~
전화_ 04-2326-8008

52호텔 | 52hotel
昭盛52行館 | 자오성우스얼싱관

서구 번화가 인근에 위치한 4성급 호텔로, 500m 정도 걸어가면 다양한 복합쇼핑몰 거리가 나와 여러 가지 볼거리와 먹을거리를 만날 수 있다.

저렴한 가격에 세련되고 고급스러운 호텔에 머물 수 있는 점이 매력적인 곳으로, 가격에 대비해 룸이 넓고 창 또한 커서 편안하고 안락하게 쉴 수 있다. 직원들도 친절하고 높은 수준의 서비스를 제공하여 전반적으로 고객들의 만족도가 높은 호텔 중 하나다.

홈페이지_ 52hotel.com.tw
주소_ 台中市西區忠明路52號
위치_ 광삼소고백화점에서 도보 약 7분
요금_ NT$2,070
전화_ 04-2317-5000

호텔 내셔널
Hotel National
全國大飯店 | 취엔꾸어다판디엔

초오도에 위치한 4성급 호텔로, 호텔 인근에 다양한 복합쇼핑몰과 젊은 감성의 편집샵, 식당, 카페 등이 산재해있어 편하고 즐겁게 타이중을 즐길 수 있는 위치에 있다.
룸은 총 178개이며 중화권 특유의 감성이 반영된 호텔이라 매우 세련된 인테리어는 아니지만 호텔 수준의 고급스러움은 충분히 가지고 있으며, 가격 대비 적당한 크기와 높은 청결도를 유지하여 투숙객들의 만족도를 높인다.

홈페이지_ hotel-national.com.tw
주소_ 台中市西區館前路57號
위치_ 초오도 인근
요금_ NT$2,585~
전화_ 04-2321-3111

더 탱고 타이중
The Tango Taichung
天閣酒店-台中 | 티엔거지우디엔타이쫑

호텔에서 조금만 걸어 나가면 현지인과 한국인 관광객들에게 인기 있는 음식점이 잔뜩 널려 있어 편하게 맛있는 식사를 즐길 수 있는 호텔이다.

4성급 호텔이지만 저렴한 가격에 머물 수 있으며, 고급스러워 보이는 인테리어와 평이한 룸 크기를 갖고 있어 적정한 가격에 편안한 숙소에서 머물고 싶은 여행자들이 선호한다. 호텔 바로 맞은편에 마사지 전문샵 '어선당'이 위치해있어 1일 1마사지를 쉽게 실천할 수 있다.

홈페이지_ tc.tango-hotels.com
주소_ 台中市南屯區大墩路525號
위치_ 어선당 맞은편
요금_ NT$2,400~
전화_ 04-2320-0000

스트레이버즈
StrayBirds
漂鳥 青年旅館 | 피아오냐오칭니엔루관

따뜻한 유럽 감성의 깨끗한 호스텔로 수건이 제공돼 여행자들의 만족도를 높이는 곳이다. 룸 유형은 도미토리룸과 개인실로 나누어져있으며, 도미토리룸 침대에는 옷걸이와 프라이버시 보호용 커튼, 개인 전등, 코드가 따로 마련돼 있다.

모든 룸에 조식이 포함돼 저렴한 호스텔보다는 숙박 가격이 조금 있지만 호스텔이 가진 많은 장점들이 가격의 단점을 상쇄한다. 호스텔 주변으로 현지인들이 즐겨 찾는 음식점이 많이 분포한 곳으로 현지인 맛집을 탐방해보기 좋다.

홈페이지_ straybirds.com.tw
주소_ 台中市西區公益路201號8樓
위치_ 친메이쇼핑몰에서 도보 약 4분
요금_ NT$960~
전화_ 04-2301-5518

스타호스텔 파크레인
Star hostel park lane
誠星旅館 | 청싱루관

복합쇼핑몰이자 백화점인 친메이 쇼핑몰의 꼭대기 층인 15층에 자리하고 있는 호스텔로 건물 안에서 다양한 볼거리와 먹을거리를 만나볼 수 있는 곳이다.
2019년에 오픈한 호스텔로 모든 시설이 깨끗하고 청결하게 유지하고 있으며, 친절한 직원들은 영어 실력도 좋아 소통에 큰 어려움이 없다. 룸 유형은 도미토리룸 밖에 없으며, 프라이버시 보호용 커튼, 개인 전등, 코드가 따로 마련돼 있다.

홈페이지_ starhostelparklane.com
주소_ 台中市西區公益路68號15樓
위치_ 친메이쇼핑몰 15층
요금_ NT$473~
전화_ 04-2321-9696

西屯區

시툰구 | XitunQu

시툰구

시 툰 구

시툰구西屯區는 타이중 여행자들이 한 곳 쯤은 반드시 꼭 방문한다는 곳이 몰려있는 곳이다. 볼거리로는 대만이 자랑하는 오페라 전용극장인 타이중 국가가극원과 루체 교회가 유명한 동해대학교가 있다. 먹거리로는 샤오롱바오로 유명한 딘타이펑과 방대한 규모와 다양한 길거리 음식을 자랑하는 펑지아 야시장이 있다. 특히 시툰구에 위치한 타이중 국가가극원과 백화점 주변은 타이중의 다른 구에 비하여 번화한 고층 건물이 포진해있어 타이중의 색다른 매력을 느낄 수 있으며, 밤에는 더욱 화려해지는 모습을 발견할 수 있다.

시툰구 여행 잘하는 법
시툰구北區를 여행할 때는 타이중 서쪽 끝에 위치한 고미습지를 묶어서 함께 다녀오는 것이 시간 절약할 수 있는 방법이다. 고미습지는 일몰이 하이라이트이므로 일몰 시간에 맞추어 고미습지 → 동해대학교 → 펑지아 야시장 순으로 다녀오거나, 동해대학교 → 고미습지 → 펑지아 야시장순으로 다녀와도 된다. 동해대학교는 낮이든 밤이든 매력적인 곳이기 때문에 마음에 드는 풍경과 시간대를 선택하여 일정을 설계하는 것이 좋다.

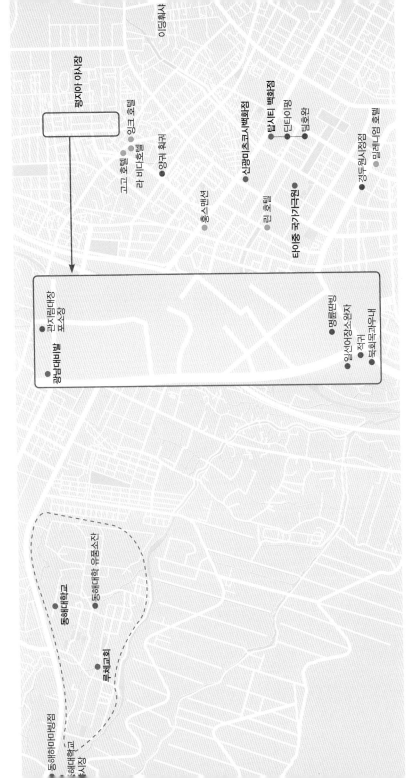

타이중 국가가극원
臺中國家歌劇院 | 타이쭝궈자거쥐위안

일본의 유명 건축가 이토 도요(伊東豊雄)가 설계한 오페라 전용 극장으로 정기적으로 다양한 뮤지컬과 오페라 공연이 상영된다.

1층에는 여러 가지 아이디어 용품과 의류 잡화 상점이 있으며, 통유리창의 분위기 좋은 카페가 있다. 또 수제 오르골로 유명한 원더풀라이프가 있어 아기자기하고 귀여운 모양의 다양한 오르골을 만나볼 수 있다. 특별히 국가가극원은 밤에 더 아름다운 곳이다. 국가가극원 앞에 위치한 분수가 색색깔로 빛을 내는 모습과 주변 건물의 화려한 야경을 볼 수 있으며, 특히 6층의 공중 화원에서는 번쩍거리는 고층 건물에 둘러싸여 홍콩의 밤 같은 모습을 연출한다.

홈페이지_ npac-ntt.org
주소_ 台中市西屯區惠來路二段101號
위치_ 타이중 기차역 Taichung Station (Chenggong Rd. Intersection) 臺中車站(成功路口) 정류장에서 75번 버스 탑승 후 National Taichung Theater 臺中國家歌劇院 에서 하차
시간_ 일, 화~목 11:30~21:00
　　　금, 토, 국가 공휴일 11:30~22:00 / 월요일 휴무
전화_ 04-2251-1777

점 딘타이펑이 있으며, 맞은편에는 똑같이 딤섬 전문점으로 유명한 팀호완이 위치해있다.

탑시티 백화점
台中大遠百 | 탑시티타이쫑따위안바이

신광 미츠코시 백화점과 함께 타이중에서 인기 있는 백화점이다. 다양한 의류 및 화장품 명품 매장, 의류 및 잡화 매장, 여러 가지 음식점으로 꽉꽉 들어차있다.
지하 2층에는 한국 여행자들이 대만을 방문했을 때 대부분 방문한다는 딤섬 전문

홈페이지_ feds.com.tw
주소_ 中市西屯區台灣大道三段251號
위치_ 타이중국가가극원에서 도보 약 8분
시간_ 11:00~22:00
전화_ 04-3702-2168

신광 미츠코시 백화점
新光三越台中中港店
씬광산위에타이쫑쫑강디엔

대만의 대표적인 일본계 백화점으로 대만 전역에 지점을 갖고 있다. 탑시티와 마찬가지로 다양한 의류 및 화장품 명품 매장, 의류 및 잡화 매장, 여러 가지 음식점을 만날 수 있다.

특별히 유명하거나 알려진 음식점은 없지만, 12층에 푸드 코트가 위치해있어 대만 및 중화권을 포함한 여러 나라의 음식을 쉽게 골라 먹을 수 있다.

홈페이지_ skm.com.tw
주소_ 台中市西屯區台灣大道三段301號
위치_ 탑시티 백화점 맞은편
시간_ 11:00~22:00
전화_ 04-2255-3333

광남대비발 타이중봉갑점
光南大批發台中逢甲店
광난따피파타이쫑펑지아디엔

계단을 따라 조심히 지하로 내려가면 규모가 꽤 큰 매장이 펼쳐진다. 대만 전역에 있는 잡화점으로, 중국어로 도매라는 뜻을 가진 대비批發에 걸맞게 문구 잡화부터 시작해서 화장품, 식품, 생활용품 등 정말로 다양한 상품을 저렴하게 판매한다. 국내에서 조금 가격이 있는 화장품류나 유명한 대만 여행 기념품, 펑리수, 누가크래커까지 판매하여 쇼핑하기 좋다. 펑지아 야시장에서 든든하게 배를 채운 후 마지막으로 광남대비발에서 다양한 상품을 구경하고 쇼핑한다면 몸도 손도 즐겁게 무거워질 수 있을 것이다.

홈페이지_ knn.com.tw
주소_ 台中市西屯區福星路427號B1
위치_ 펑지아 대학교 정문 인근의 펑지아 야시장에서 도보 약 2분
시간_ 10:30~22:30
전화_ 04-2451-8258

루체 교회
路思義教堂 | 루쓰이쟈오탕

동해대학교는 기독교 단체가 설립한 대학교로, 동해대학교 내에 있는 루체교회는 동해 대학의 기독교 정신을 상징한다. 황금빛으로 빛나는 루체 교회는 꼭대기에서부터 매끄럽게 이어져 내려가는 외벽이 천막처럼 느껴지기도 한다.

햇빛이 쨍하고 파란 하늘이 펼쳐진 날에 방문해 멋진 풍경과 함께 인증 사진을 찍어보자. 또 타이중의 젊은이들은 어두운 밤에 루체 교회 벽에 밝게 켜진 조명에 비친 그림자 사진을 찍으며 놀기도 한다. 밤에 방문했다면 루체 교회에서 독특한 그림자 사진을 찍으며 즐거운 시간을 보내는 것도 재미있는 추억으로 남을 것이다.

단점이 있다면 정문에서 도보로 20분 정도 소요되기 때문에 강제로 캠퍼스 투어를 하게 된다는 점이다(자전거 이동 불가). 하지만 걸어가는 길에 인공 호수나 동해대학교에서 운영하는 낙농장 등 소소한 볼거리가 있으므로 대만 대학교 캠퍼스의 정취를 느끼며 걷다보면 어느새 저 멀리서 반짝이는 루체 교회를 만나게 될 것이다.

홈페이지_ knn.com.tw
주소_ 台中市西屯區福星路427號B1
위치_ Shin Kong Mitsukoshi/Far Eastern Department Store [Dedicated Lane] 新光/遠百[專用道]에서 300~310번 버스 탑승 후 Yumen Rd. [Dedicated Lane] 玉門路[專用道]에서 하차하여 도보 약 4분 / 동해대학교 정문에서 도보 약 20분(동해대학교)
시간_ 10:30~22:30
전화_ 04-2451-8258

EATING

딘타이펑
鼎泰豐 台中店 | 딘타이펑타이쭝디엔

딘타이펑은 대만의 딤섬 전문점으로 본 점은 타이베이에 있으며, 타이중에는 탑시티 백화점에만 지점이 있다. 한국인 여행자들이 샤오롱바오^{小籠包}를 맛보기위해 많이 방문하는 곳으로 한국어 메뉴의 표기와 설명이 잘 돼있어 주문이 쉬운 편이다. 관광객 현지인 할 것 없이 모두에게 인기 있는 곳이기 때문에 식사시간대에는 예약하고 방문하는 것이 좋다. 결제금액에는 부가세 10%가 붙어 나온다.

홈페이지_ dintaifung.com.tw
주소_ 台中市西屯區台灣大道三段251號B2
위치_ 탑시티 백화점 지하 2층
시간_ 월~금 11:00~21:30 / 토, 일 10:30~21:30
요금_ 샤오롱바오(小籠包) 5개 NT$110
전화_ 04-2259-9500

팀호완
添好運漢神巨蛋店 | 타엔호완한선쥐단디엔

팀호완은 홍콩의 딤섬 전문점으로 본점은 홍콩에 있으며, 타이중에도 지점이 있다. 한국인 여행자들은 샤오롱바오가 없어서 딘타이펑에 가는 경우가 많으며, 팀호완은 딘타이펑의 대기가 너무 많아 대체 식당으로 선택하게 되는 경우가 많다. 하지만 팀호완 또한 딘타이펑에 비해 떨어지지 않는 딤섬을 제공하는 곳이며, 특히 새우가 들어가는 딤섬류가 맛있는 곳으로 하가우는 한국인 입맛에도 맛있고 새우도 매우 탱탱하다.

팀호완도 메뉴판에 한국어 표기가 잘 돼 있기 때문에 주문에 어려움은 없으며, 꼭 샤오롱바오를 먹어야하는 이유가 없다면

팀호완에 들어가 식사하는 것도 좋을 것이다. 팀호완도 부가세 10%가 붙어 결제된다.

///

홈페이지_ timhowan.com.tw
주소_ 台中市西屯區台灣大道三段251號B2
위치_ 탑시티 백화점 지하 2층
시간_ 월~금 11:00~21:30 / 토, 일 10:30~21:30
요금_ 찡잉시엔시아지아오(하가우)晶瑩鮮蝦餃 4개
　　　NT$138
전화_ 04-2258-6778

경독원시정점
耕讀園市政店 | 경두위엔시정디엔

서구에 위치한 무위초당이 한국인 여행자들에게 유명한 다예관이라면, 경두원은 현지인들이 자주 찾는 곳이다. 다양한 대만 현지 음식과 함께 차를 판매하는 음식점 겸 다예관 체인점으로 대만 전역에 지점이 몇 군데 있다.

메뉴판은 영어 표기가 잘 돼있어 주문이 어렵지 않으며, 외국인에게는 영어 소통이 잘 되는 직원이 주문을 받도록 도와준다. 메뉴는 차茶류부터 시작해 다양한 대만식 덮밥 정식, 훠궈, 딤섬류를 판매하며 특히 귀여운 동물 모양 만두가 있다. 아침 일찍부터 자정까지 영업하여 언제든 방문해도 좋으며, 차만 마신다고 해도 눈치를 주지 않으므로 가벼운 마음으로 들어가도 좋다.

홈페이지_ ktytea.com.tw
주소_ 台中市西屯區市政路109號
위치_ 타이중국가가극원에서 도보 약 8분
시간_ 09:00~24:00
요금_ 차(茶)류 NT$120~
전화_ 04-2251-8388

동해대학유품소잔

東海大學乳品小棧 | 둥하이다쉬루핀사아오잔

동해대학교 낙농장에서 기르는 소에게서
얻은 우유로 우유와 아이스크림 등 다양
한 유제품을 판매하는 곳이다. 인공첨가
물이 단 한 개도 들어가지 않은 아이스크
림은 신선하고 깨끗한 우유 맛을 자랑한
다. 타이중에서 반드시 꼭 먹어봐야할 아
이스크림 정도 까지는 아니지만 동해대
학교에 방문했다면 한번쯤 먹어봐도 좋
을 맛이다.

아이스크림은 컵형과 하드형이 있는데
돈을 조금 더 내더라도 컵형을 먹는 것이
혀의 신변을 보호하는데 좋으며, 스푼은
오른편에 있는 셀프바에 있다. 영업은 휴
일 없이 매일 하지만 저녁 6시까지만 문
을 열기 때문에 방문 시 유의하자.

홈페이지_ farm.thu.edu.tw
주소_ 台中市西屯區台灣大道四段1727號
위치_ 동해대학교 정문에서 도보 약 10분
시간_ 08:00~18:00
요금_ 아이스크림 컵형 NT$42, 하드형 NT$25
전화_ 04-2350-0873

동해대학교 야시장
東海大學夜市 | 둥하이다쉬예시

동해대학교 인근에 형성돼있는 먹자골목으로, 노점이 늘어선 야시장이라기보다는 건물형 식당이 많으며 간간히 노점이 서있는 형태다.

대체로 늦은 오전이나 오후부터 영업을 시작하는 곳이 많기 때문에 반드시 밤에 방문하지 않아도 되지만, 밤에 방문하면 조금 더 즐겁고 활기찬 분위기의 야시장 거리를 만날 수 있다. 먹거리는 젊은이들이 선호하는 음식 위주지만 대만 현지 음식부터 일식, 양식 등 다양하게 판매하고 있으며, 차량이 통제되지 않는 곳이기 때문에 통행 시 주의하는 것이 좋다.

주소_ 台中市龍井區新興路9號
위치_ 루체교회에서 도보 약 10분
시간_ 상점마다 상이

동해하마마빙점
東海何媽媽冰店 | 둥하이흐어마마빙디엔

동해대학교 학생들에게 인기 있는 얼음 빙수 전문점으로, 다소 어두워보이는 골목 안쪽으로 들어가야 발견할 수 있다. 신선한 제철과일을 듬뿍 올리고 달달한 시럽을 뿌려주는 빙수는 크기가 2~3인이 먹어도 충분할 정도로 크다.

여름에는 노란색 망고가 들어간 빙수로, 겨울에는 빨간색 딸기가 들어간 빙수로 눈과 입을 모두 즐겁게 해준다. 현지인 맛집이므로 영어메뉴판이 없는 것이 단점이지만, 젊은 나이대의 직원은 영어가 가능하여 한자로 된 메뉴를 영어로 설명해준다. 과일빙수 외에도 클래식한 팥빙수나 두화頭花라는 대만식 전통 빙수도 판매한다.

홈페이지_ facebook.com/homama1975
주소_ 台中市龍井區臺灣大道五段3巷6弄28號、30號
위치_ 동해대학교 정문에서 도보 약 10분
시간_ 월~토 14:00~22:00 / 일요일 휴무
요금_ 과일빙수류 NT$175~
전화_ 04-2632-8855

펑지아 야시장
逢甲夜市 | 펑자야예시

펑지아 대학교 인근에 형성돼있는 야시장으로 타이중을 방문한 여행자라면 반드시 방문하는 관광지이자, 타이중에서 가장 큰 규모와 일평균 가장 많은 방문 인원을 자랑하는 타이중의 야시장이다. 대만 현지 음식부터 시작해 세계 여러 나라의 다양한 음식을 판매하고 있으며, 건물형 식당이 많은 편이지만 노점상도 꽤

많다. 먹거리뿐만 아니라 볼거리, 즐길 거리, 살거리도 많아 한번 들어갔다가 예상보다 더 오랜 시간을 보내고 나올 정도이며, 활발하고 시끌벅적한 분위기를 즐기기에 좋다.

홈페이지_ facebook.com/fcyes
주소_ 台中市西屯區 文華路, 福星路
위치_ 입구 : 문화로(文華路원화루)
　　　　복성로(福星路푸싱로) 교차 사거리
시간_ 상점마다 상이하나 대체로 12:00~26:00
전화_ 04-2451-5940

펑지아 야시장 맛집 BEST 5

펑지아 야시장에는 한국인 입맛과 멀지 않은 동서양의 다양한 음식과 대만 음식이 펼쳐져 있다. 하지만 어느 곳이든 공인된 유명 맛집이 있는 법. 아래에서 소개하는 펑지아 야시장 맛집은 타이중에 거주하는 현지인들과 관광객에게 모두 사랑받는 곳이다. 한국인 입맛에도 편한 펑지아 야시장 맛집은 타이중 야시장 탐방 중의 맛있는 기억으로 남을 것이다.

적귀자소우배 봉갑점(赤鬼炙燒牛排 逢甲店)
츠구이즈샤오니우파이 펑지아디엔

타이중에만 5개의 지점을 갖고 있는 스테이크 전문점으로, 현지인들에게는 물론 한국인 여행자들에게도 소문난 펑지아 야시장 맛집이다. 저렴한 가격에 대비해 질 좋고 맛있는 스테이크를 제공하여 언제나 인기가 많다.
대로의 사거리에 위치해있으며 매장 위에 익살스럽게 웃고 있는 요괴가 있어 찾기 어렵지 않다. 직원들은 영어가 잘 통하지 않으므로 메뉴판의 영어표기를 보고 손가락으로 가리켜 주문하면 된다.

홈페이지_ akaonisteakfengjia.business.site　**주소_** 台中市西屯區文華路11號　**위치_** 펑지아 야시장 입구
시간_ 월~목 12:00~23:00 / 금~일 12:00~24:00　**요금_** 스테이크류 NT$310~　**전화_** 04-2452-7277

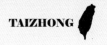

북회목과우내 봉갑총점(北回木瓜牛 逢甲總店)
베이후이무과니우나이 펑지아쭝디엔

젊은이와 어른 할 것 없이 현지인들에게 인기 있는
파파야 우유 전문점이다. 붉은 주황색으로 잘 익은
신선한 파파야를 깨끗하게 손질하여 우유, 얼음과
함께 갈아내 시원하고 부드러운 파파야 우유를 맛
볼 수 있다. 파파야우유는 단맛으로 먹는 음료는 아
니기 때문에 단맛을 많이 좋아하지 않는 여행자가
적당히 달달한 음료를 먹고 싶을 때 찾기 좋다. 단
맛을 좋아하는 여행자도 처음에는 다소 실망할 수
있지만, 먹다보면 은근히 중독되는 맛으로 이후에
도 파파야 우유를 홀린 듯 사게 될 수도 있다.

홈페이지_ papayamilk.com.tw
주소_ 台中市西屯區文華路9-10號
위치_ 펑지아 야시장 입구　**시간_** 15:30~24:00
요금_ 파파야우유 소(小) NT$60~　**전화_** 04-22452-6663

일선어장소완자(日船章魚小丸子) | 리추안장유시아오완즈

식사시간대가 아니더라도 언제나 줄이 있을 정도로
현지인들에게 인기 있는 타코야끼 전문점이다. 길
게 이어진 타코야끼 불판에서 노릇노릇하게 구워져
가는 타코야끼와 줄을 서 있는 현지인들을 보다보
면 아는 맛도 궁금해져서 줄을 서고 싶어지게 된다.
소스는 마요네즈맛과 와사비+마요네즈 맛이 있으
며 가쓰오부시와 김가루 중 선택하면 된다. 타이중
에서 반드시 꼭 먹어야 할 정도로 대단한 타코야끼
맛은 아니지만, 타이중에서 맛있게 먹은 타코야끼
정도의 맛은 된다. 오픈 이후부터 저녁시간 전까지
는 대기줄이 별로 없는 편이므로 기다림 없이 구매
할 수 있다.

홈페이지_ japanboat.com.tw　**주소_** 台中市西屯區文華路13號　**위치_** 적귀에서 도보 약 1분
시간_ 15:00~25:00　**요금_** 1박스(6입) NT$45　**전화_** 04-2355-3899

명륜딴빙(明倫蛋) | 밍룬딴빙

일선어장소완자 바로 옆에 있는 딴빙 전문점으로 1978년부터 영업을 시작했다. 딴빙은 주로 아침식사로 먹기 때문에 오후 시간대에는 운영하는 음식점이 없는 경우가 많은데, 명륜딴빙은 야시장에 위치해있어 오후부터 새벽까지 먹을 수 있다.

주문은 번호표를 받고 본인의 번호가 표시되면 앞으로 가서 소스를 선택하고 결제하면 된다. 소스는 총 4가지가 있으며 영어로도 설명이 돼있는데, 가장 맨 위에 있는 소스가 베스트다. 대기 번호가 길어도 딴빙이 구워지는 속도가 워낙 빠르기 때문에 오래 기다리는 경우는 별로 없다.

주소_ 台中市西屯區福星路546號 **위치_** 일선어장소완자 바로 옆
시간_ 월~금 15:00~25:30 / 토, 일 14:30~26:00 **요금_** 딴빙 NT$45 **전화_** 0975-791-179

관지림대장포소장(官芝霖大腸包小腸) | 관즈린따창빠오샤오창

관지림대장포소장은 펑지아 야시장에서 유명한 따창빠오샤오창 전문점으로, 따창빠오샤오창은 대만식 핫도그로 대만 전역에 있는 야시장에서 쉽게 볼 수 있는 음식이다. 두툼하고 쫄깃한 찹쌀소시지에 돼지고기 소시지와 소스, 오이, 마늘 등을 올려 먹는데 적당히 달달하고 짭짤하고 쫄깃하다. 소시지에서는 살짝 향신료 맛이 나기 때문에 사람마다 호불호가 다소 갈리므로 취향에 따라 먹어보자.

주소_ 台中市西屯區逢甲路22號 **위치_** 봉갑대학 입구에서 도보 약 1분
시간_ 12:00~25:00 **요금_** 따창빠오샤오창(大腸包小腸) NT$50 **전화_** 0922-282-559

양귀훠궈 타이중봉갑총점
養鍋 台中逢甲總店 | 양꿔 타이쭝펑지아쫑디엔

귀여운 시바견이 마스코트로 있는 훠궈 전문점으로 유명한 곳이다. 야채와 고기, 해물이 신선하며 육수맛 또한 좋아 현지인 및 한국인 관광객에게 인기 있다. 마스코트인 시바견은 늦은 시간에는 없으며, 또 매일 있지는 않으므로 너무 기대하고 가면 실망할 수도 있다.

평일에는 오후 5시부터 영업하지만 주말에는 오전 11시부터 영업하므로 언제든 방문해서 훠궈를 즐길 수 있다. 매장은 큰 편이 아니기 때문에 식사시간에는 대기가 다소 있을 수 있으며, 합석 가능성도 높은 편이다. 메뉴판에 영어 표기가 잘 돼 있어 주문에 큰 어려움이 없다.

홈페이지_ facebook.com/junfn0428
주소_ 台中市西屯區至善路116號
위치_ 펑지아 야시장 입구에서 도보 약 7분
시간_ 월~금 17:00~25:00 / 토, 일 11:00~24:00
요금_ 훠궈류 NT$230~
전화_ 04-2452-7319

이딩휘샤 타이중기함점
易鼎活蝦 台中旗艦店
이딩휘샤타이쭝치지엔디엔

대만의 새우요리 전문 체인점으로, 한국인들에게는 KBS 〈배틀트립〉 타이중 편에 방영되며 알려졌다. 평일에는 브레이크 타임이 있기 때문에 영업시간에 주의해 방문해야하지만, 주말에는 브레이크 타임 없이 쭉 영업하므로 언제든 편하게 방문할 수 있다.
외부와 내부로 나누어진 매장은 많은 사람을 수용할 수 있을 정도로 넓고 크기 때문에 대기할 일은 별로 없다. 모든 요리가 평이하게 괜찮은 맛을 자랑하며, 타이중에서 반드시 방문해야할 정도는 아니지만 새우를 좋아한다면 한번쯤 방문해볼만한 곳이다.

홈페이지_ top-d.com.tw
주소_ 台中市西屯區甘肅路二段100號
위치_ 펑지아 야시장 입구에서 약 1km
시간_ 월~금 11:30~14:00, 17:00~25:00
　　　　토, 일 11:00~25:00
요금_ 새우구이류 NT$420~
전화_ 04-2311-3202

SLEEPING

밀레니엄 호텔 타이중
台中日月千禧酒店
타이쭝리위에치엔시지우디엔

직원의 친절도, 호텔의 시설, 룸 컨디션 등 다양한 면에서 투숙객들의 좋은 평을 받는 호텔로, 대체적으로 값을 한다는 느낌을 제대로 받을 수 있는 5성급 호텔이다. 모든 시설이 고급스럽고 세련된 편이며, 도시적이고 세련된 분위기가 매력적인 야외수영장과 업무하기 편한 비즈니스 센터가 갖춰져 있다.

절한 직원들은 영어 응대가 훌륭하여 호텔 이용이나 주변 시설 및 관광 등에 대한 문의와 도움을 받기 쉽다.

//

홈페이지_ millenniumtaichung.com.tw
주소_ 台中市西屯區市政路77號
위치_ 경독원에서 도보 약 3분
요금_ NT$4,140~
전화_ 04-3705-6000

더 린 호텔
The LIN Hotel

사우나, 수영장, 피트니스 시설 등이 훌륭하게 갖춰져 있으며 호텔 내부에 있는 식당이나 근처에 있는 식당들도 맛이 좋은 편으로 호캉스를 즐기기에 좋은 5성급 호텔이다. 넓고 깨끗한 룸, 친절한 직원, 호텔 내부의 다양한 시설과 서비스 등 여러 가지 면에서 돈이 아깝지 않다. 다양한 대만 및 중화권 음식은 물론이고 양식 음식도 종류별로 여러 가지가 준비돼 조식 만족도 또한 높은 곳이다.

홈페이지_ thelin.com.tw
주소_ 台中市西屯區朝富路99號
위치_ 타이중 국가가극원에서 도보 약 3분
요금_ NT$4,400~
전화_ 04-2255-5555

홍스맨션
The Hung's Mansion
台中商旅 | 타이쯍상뤼

대로에 위치해있어 대중교통을 쉽게 이용하기 좋은 위치에 있으며, 다양한 대만 및 중화권 음식과 여러 가지 양식 음식이 준비된 조식이 맛있는 호텔이다.
여행 중의 피로함을 풀 수 있는 편안한 침대는 물론이고, 디자인호텔처럼 고급스럽고 따뜻한 룸 인테리어, 전체적으로 깨끗하고 깔끔한 청결도 등 다양한 장점을 가진 4성급 호텔로 투숙객들의 만족도가 높은 곳이다.

홈페이지_ hungsmansion.com
주소_ 台中市西屯區台灣大道三段593號
위치_ 신광미츠코시백화점에서 도보 약 10분
요금_ NT$3,675~
전화_ 04-2255-6688

라 비다 호텔
La Vida Hotel
豐邑逢甲商旅 | 펑이펑자아샹뤼

펑지아 야시장에서 도보로 2분이라는 사기적인 위치를 갖고 있는 4성급 호텔로, 매일 같이 야시장 탐방을 즐길 수 있으면서도 꽤 높은 수준을 갖추고 있는 호텔에서 머무르고 싶은 여행자에게 추천하는 호텔이다.

대중교통을 이용하기엔 다소 불편하다는

점이 아쉽지만 직원들의 친절도와 안락한 룸, 깨끗한 시설, 맛있는 조식 등이 단점을 모두 상쇄시키며, 성급 대비 저렴한 가격에 숙박할 수 있는 장점까지 있어 대부분의 투숙객들이 매우 만족하는 곳이다.

홈페이지_ lavidahotel.com.tw
주소_ 台中市西屯區西屯路二段275-2
위치_ 펑지아 야시장 입구에서 도보 약 2분
요금_ NT$3,100〜
전화_ 04-2451-7722

고고 호텔
GOGO Hotel
回行旅逢甲館 | 후이싱뤄펑자아관

펑지아 야시장 입구까지 도보 5분이면 닿을 수 있는 3성급 호텔이다. 방 크기는 넓지 않다는 것이 단점이라면 단점이지만, 친절한 직원들의 서비스와 타이중의 야경이 보이는 옥상 휴식 공간, 게임 시설 등 다양한 시설을 갖추어 투숙객들의 만족도를 높이는 곳이다.

모든 객실에 조식이 포함돼있기 때문에 요금이 올라가지만, 조식은 대만 및 중화권 음식과 여러 양식 음식이 조합돼있어 만족도가 높다.

홈페이지_ gogohotel.com.tw
주소_ 台中市西屯區至善路188號
위치_ 펑지아 야시장 입구에서 도보 약 5분
요금_ NT$1,870~
전화_ 04-2452-2333

잉크 호텔
INNK Hotel | 隱和旅 | 인허뤼

펑지아 야시장과 가까운 거리에 있으면서 적정한 룸 컨디션을 갖고 있는 숙소를 찾는 여행자에게 추천할만한 3성급 호텔이다. 저렴한 방의 경우 방 크기는 크지 않지만 침대가 편안한 곳으로, 여행 중의 피로에서 깊은 잠을 청할 수 있는 곳이다.

고고호텔과 똑같이 모든 객실에 조식이 포함돼있기 때문에 요금이 올라가지만, 조식은 대만 및 중화권 음식과 여러 양식 음식이 조합돼있어 투숙객들이 매우 만족하는 편이다.

홈페이지_ innk.com.tw
주소_ 台中市西屯區西屯路二段272-16號
위치_ 펑지아 야시장 입구에서 도보 약 2분
요금_ NT$1,870~
전화_ 04-2706-3123

체이스 워커 호텔
CHASE Walker Hotel
鵲絲旅店 | 취에쓰뤼디엔

셀프 체크인/체크아웃이 가능한 3성급 무인 호텔로, 늦은 밤 및 새벽에 출발하거나 도착해도 편하게 체크인/체크아웃을 할 수 있는 것이 장점인 곳이다. 타이중 기차역에서는 멀지만 한번에 갈 수 있는 버스편도 여러개 있으며, 펑지아 야시장에서 3분이면 도착할 수 있는 거리에 위치해 있다. 룸은 대체로 좁은 편이지만 충분히 안락하며, 현대적인 인테리어에 청결도 또한 높은 편이다.

홈페이지_ chasehotel.com.tw
주소_ 台中市西屯區福星路230號
위치_ 펑지아 야시장에서 도보 약 3분
요금_ NT$1,070~
전화_ 04-2452-5387

설 및 주변 문의에 대한 소통이 편안한 곳이다.
모든 룸이 복층 형식으로 설계돼있기 때문에 무릎이 불편한 여행객은 다른 호텔을 고르는 것이 좋다.

미니 호텔 봉갑관
MINI HOTELS | 逢甲館 | 펑자야관

아기자기한 유럽의 호텔 같은 느낌의 3성급 호텔로, 호텔 시설이나 룸 등이 현대적이면서도 독특한 감성의 컨셉을 갖고 있어 디자인 호텔 같은 느낌이 들기도 한다. 영어 소통도 할 수 있지만 간단한 한국어도 가능한 직원이 근무하여 호텔 시

홈페이지_ minihotels.com.tw
주소_ 台中市西屯區福星北一街15號
위치_ 펑지아 야시장에서 도보 약 4분
요금_ NT$1,480~
전화_ 04-2707-3777

台中 市內 近郊

타이중 시내 근교

台中市内近郊
타이중 시내 근교

타이중 근교에 있는 대표적인 볼거리는 타이중에 방문한 여행자들 대부분이 방문한다는 무지개 마을과 고미습지다. 두 관광지 모두 타이중 시내에서는 거리가 좀 있는 곳에 위치해있지만 무지개 마을은 색색깔의 독특한 그림이 그려져 있어 사진을 남기기 좋으며, 고미습지는 드넓은 하늘과 바다를 배경으로 멋진 인생 사진을 찍을 수 있는 곳이므로 타이중 여행 중 꼭 시간을 내어 방문해보기를 바란다.

타이중 근교 여행 잘하는 법
무지개 마을과 고미습지는 타이중 시내에서 멀리 떨어져 있는 것이 단점이지만, 타이중의 대표적인 관광지인 만큼 여행 상품도 잘 마련돼 있는 편이다. 해외의 투어 상품을 제공하는 다양한 여행 플랫폼에서는 고미습지와 무지개 마을을 버스로 한 번에 다녀올 수 있는 투어 상품을 판매하고 있다. 부모님을 모신 효도 여행이나 아이가 있는 가족 여행이라면 편하게 다녀올 수 있는 투어 상품을 이용해보는 것도 좋은 선택일 것이다.

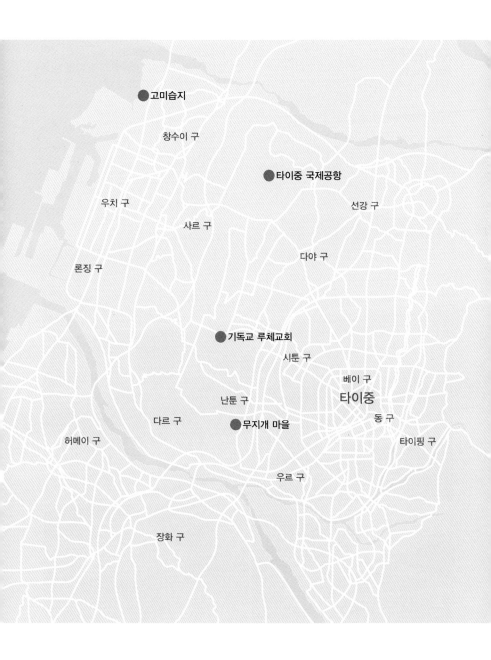

고미습지

창수이 구

타이중 국제공항

우치 구

선강 구

사르 구

론징 구

다야 구

기독교 루체교회

시툰 구

베이 구

타이중

난툰 구

다르 구

무지개 마을

동 구

허메이 구

타이핑 구

우르 구

장화 구

무지개마을
Rainbow Village
彩虹村 | 차이홍춘

본래 중국 국민당의 퇴역 군인과 그 가족들이 살았던 마을로, 퇴역 군인이자 마을 주민이었던 황용푸黃永阜할아버지가 마을의 건물과 담벼락, 바닥 등에 눈부신 색감과 독특한 그림을 그려나가면서 타이중의 유명 관광지가 된 곳이다.
본래 재개발 예정으로 철거될 위기에 처했으나 할아버지의 눈부신 그림으로 재개발이 취소되어 더 사연이 있는 곳이다. 대만 현지인 관광객과 외국인 관광객 등 언제나 많은 사람들이 방문하는 곳이므로 한적하게 사진을 찍고 싶다면 이른 시간에 방문하는 것이 좋다.

홈페이지_ 1949rainbow.com.tw
주소_ 台中市南屯區春安路56巷25號
위치_ 타이중 기차역 인근 First Square(第一廣場) 정류장에서 30, 40번 버스 탑승 후 Gancheng Village 6(干城六村)에서 하차하여 도보 약 6분
시간_ 08:00~18:00
전화_ 04-2380-2351

고미습지
高美濕地 | 까오메이스띠

하늘과 바다가 만나는 타이중의 석양 명소로 외국인 관광객보다는 대만 현지인 관광객이 더 많을 정도로 대만 현지인들에게 인기 있는 곳이다.

무려 1500헥타르의 광활한 습지로 토질은 진흙과 모래로 이루어져있다. 갯벌은 잘 조성된 나무 데크 끝에서 신발을 벗고 들어갈 수 있으며, 석양 시간대의 썰물로 갯벌의 물이 모두 빠져 찰랑거리는 물만 남았을 때 해를 등지고 역광으로 사진을 찍으면 반영 사진을 찍을 수 있어 대만의 우유니라고 불리기도 한다. 다양한 철새 조류와 해양생물이 살고 있는 생태보호구역으로 여러 생물을 관찰할 수 있다.

홈페이지_ gaomei.com.tw
주소_ 台中市清水區美堤街
위치_
기차 이용 : 타이중 기차역에서 칭수이(淸水車站)역까지 이동한 후 178,179 버스 탑승 후 종점에서 하차
버스 이용 : 타이중 제 2시장 버스 정류장 2nd Market (Taiwan Blvd.) 第二市場(臺灣大道)에서 309번 버스 탑승 후 No. 18 Windmill(18號風車) 정류장에서 하차하여 현수교를 건너 나무데크 입구까지 도보로 약 20분, 또는 현수교를 건넌 후 인근의 U-Bike를 대여하여 자전거로 이동 후 습지 입구 인근의 U-Bike 정차장에 반납
시간_ 나무 데크 개방 시간 : 매일 상이
전화_ 04-2656-5810

고미습지 방문 방법

고미습지는 기차+버스를 타고 고미습지 입구에 내리는 방법과, 버스를 타고 인근까지 이동한 후 도보 및 자전거를 이용하여 고미습지 입구까지 방법으로 나눠진다. 버스 시간표는 현지 사정에 따라 달라질 수 있으므로 방문 전 한번 더 확인해보는 것이 좋다.

기차+버스 – 178, 179번 버스 이용

타이중역에서 기차를 타고 칭수역淸水火車站에서 내려 178,179번 버스를 타고 종점에서 내리면 된다. 178, 179번 버스는 버스정류장에서 내리면 바로 앞에 나무 데크 입구가 있으나, 버스의 배차 간격이 2~3시간 정도로 매우 길기 때문에 버스 시간을 잘 맞춰가는 것이 가장 중요하다.

178			
평일		주말	
칭수역 → 고미습지	6:00 / 7:20 10:00 / 11:40 14:00 / 16:20 19:20	칭수역→ 고미습지	07:00 / 08:20 09:50 / 12:20 14:20 / 16:20 18:20 / 20:20
고미습지 → 칭수역	06:40 / 08:00 10:40 / 12:20 14:40 / 17:00 20:00	고미습지 → 칭수역	07:40 / 9:00 10:30 / 13:00 15:00 / 17:00 19:00 / 21:00
179			
평일		주말	
칭수역 → 고미습지	06:40 / 08:40 11:20 / 15:20 18:00	칭수역 → 고미습지	07:20 / 08:50 11:00 / 13:50 15:50 / 17:45
고미습지 → 칭수역	07:20 / 09:20 12:00 / 16:00 18:40	고미습지 → 칭수역	08:00 / 09:30 12:00 / 14:30 16:30 / 18:30

기차+버스 – 111,688번 버스 이용

타이중역에서 기차를 타고 칭수역淸水火車站에서 내려 111번, 688번 버스를 타도 고미습지까지 이동할 수 있다. 단, 178,179번 버스처럼 고미습지 입구까지 가는 것이 아니라 인근까지만 운영하며, 688번 버스는 주말에만 운영한다. 111, 688번을 이용할 경우 고미습지 정류장이 아닌 No. 18 Windmill18號風車 정류장에서 하차하는 것이 조금 더 적게 걸을 수 있는 방법이며, 정류장에서 하차한 후 바로 앞에 위치한 현수교를 건너 고미습지까지 도보 20분 정도 걸린다. 천천히 걸으며 풍경을 감상할 수 있기 때문에 산책 겸 걸어보는 것도 좋지만 너무

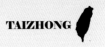

더운 날은 삼가는 것이 좋다. 종점(우치관광어시장)에서 No. 18 Windmill[18號風車] 정류장까지는 약 4~5분이 걸리므로 시간에 유의하여 도착하자.

111			
평일		주말	
칭수역 → 고미습지	8:50 / 10:50 13:50 / 15:50	칭수역→ 고미습지	8:00 / 10:10 12:40 / 14:50 16:50 / 18:50
고미습지 → 칭수역	9:50 / 12:50 14:50 / 16:50	고미습지 → 칭수역	9:10 / 11:40 13:50 / 15:50 17:50 / 19:50
688			
주말	칭수역→고미습지	09:00/ 09:30/ 10:25/ 10:45/ 11:30/ 12:00 / 12:35 / 13:00 13:25 / 14:15 / 14:45 / 15:00 / 15:30/ 16:15 / 16: 45 / 17:15 17:30 / 18:00 / 18:15 / 18:30 / 18:40 / 18:55		
	종점(우치관광어시장) → 칭수역	09:35 / 10:05 / 11:00 / 11:20 / 12:15 / 12:35 / 13:15/ 13:45 14:10 / 14:50 / 15:20 / 15:35 / 16:05 / 16:50 / 17:20/ 17:50 18:05 / 18:35/ 18:50 / 19:05 / 19:15 / 19:30		

타이중역 309번 버스

타이중역에서 309번 버스를 탑승하면 고미습지 인근까지 갈 수 있다. 309번 버스는 평일, 주말과 관계없이 똑같은 시간표로 운영되지만, 동절기와 하절기의 운영이 다르므로 방문 시 시간표에 유의해야한다.
309번 버스는 111, 688번 버스와 같이 고미습지 정류장이 아닌 No. 18 Windmill[18號風車] 정류장에서 하차해야 조금 더 적게 걸을 수 있으며, 정류장 앞에 위치한 현수교를 건너 고미습지까지 도보 20분 정도 걸린다. 111, 688번 버스와 마찬가지로 산책 겸 걸어보는 것도 좋지만 너무 더운 날은 삼가는 것이 좋다

309			
4월~9월		10월~3월	
타이중역 → 종점 (우치관광어시장)	09:29~19:10	타이중역 → 종점 (우치관광어시장)	09:29~18:30
종점(우치관광어시장) → 타이중역	12:15 / 12:40 13:05 / 13:30 14:00 / 14:30 15:00 / 15:25 15:45 / 16:10 16:35 / 17:00 17:30 / 18:00 19:10	종점(우치관광어시장) → 타이중역	12:15 / 12:40 13:05 / 13:30 13:55 / 14:20 14:45 / 15:10 15:35 / 16:00 16:25 / 16:50 17:15 / 17:40 18:05 / 18:30

고미습지 방문 TIP

– 111, 309, 688 버스에서 내려 걸어가는 것이 힘들다면 자전거를 대여해보자. 현수교에서 나와 오른편으로 조금 더 가다보면 U-Bike 정차장이 있어 자전거를 대여할 수 있다. 만약 U-Bike가 없다면 정차장 근처에 있는 사설자전거 대여소로 가서 일반 자전거와 전기 자전거를 대여하면 된다. 자전거는 나무데크까지 들어갈 수 없다. U-Bike는 고미습지 입구 인근에 있는 나무 데크 입구 인근에 있는 자전거 정차장에 세워두면 된다.

– 고미습지는 생태보호구역으로 개방되지 않은 곳에 들어가면 어마어마한 벌금을 물어야 한다. 모자나 선글라스 등 몸에서 쉽게 떨어져 놓칠 수 있는 물건은 들고 가지 않는 것이 좋으며, 가져간다면 간수를 매우 잘하는 것이 중요하다. 실제로 고미습지의 갯벌에는 주인을 잃은 물건들이 여러 개 떨어져있으며, 갯벌로 들어가지 않고 물건을 건져내려 애쓰는 사람들의 모습을 종종 볼 수 있다. 또 나무데크는 바람이 매우 많이 부는 편인데다 미끄러운 편이기 때문에 보행이 불편한 노약자는 조심하는 것이 좋으며, 바람에 너무 펄럭거리는 옷은 불편할 수도 있다.

- 고미습지는 일몰 명소기 때문에 일몰 시간에 맞춰가는 것이 좋으며, 습지까지 걸어갈 수 있는 나무 데크는 날씨에 따라 매일 개방 시간이 달라진다. 아무 정보 없이 갔다가 일몰 시간은 물론 나무 데크도 걸어보지 못할 수도 있으므로, 방문 당일 홈페이지(gaomei. com.tw)에서 일몰 시간과 나무 데크 개방 시간을 반드시 확인하고 가는 것이 좋다.

- 나무 데크 끝은 개방 구역으로 갯벌 안으로 직접 들어가 볼 수 있다. 갯벌이 개방된 썰물 시간의 바닷물은 많이 차올라도 발목까지이며, 겨울에도 살짝 차가운 정도다. 부드러운 갯모래를 걸으며 해가 지는 풍경을 본다면 타이중 여행의 잊을 수 없는 추억이 될 것이므로, 고미습지에 갔다면 꼭 갯벌 안으로 들어가 보기를 바란다.

- 나무 데크 밖에 발을 씻을 수 있는 공간이 따로 마련돼 있다. 하지만 그곳까지 맨발로 걸어가기엔 나무 데크가 매우 깨끗한 편은 아니며, 발이 꽤 시려울 수도 있다. 조금 번거로워도 배수가 잘 되는 신발을 신고 가거나 여별의 신발, 발을 닦을 작은 수건이나 손수건 등을 챙겨가는 것을 추천한다.

고미습지 반영 사진 TIP
반영 사진이 잘 나오려면 바닷물이 너무 많은 곳은 피해야 한다. 바닷물이 많으면 강한 바람에 바닷물이 흐르기 때문에 반영사진이 흐트러지게 나오기 때문이다. 반영 사진이 잘 나오는 곳은 갯벌이 바닷물에 드러날락 말락하게 고여 있는 곳으로, 발바닥을 아주 조금 적시는 정도가 가장 좋다.

彰化

장화

彰化
장   화

장화는 타이중역에서 기차를 타고 약 30분이면 쉽게 도착할 수 있는 도시다. 진짜 현지인들의 생활상을 관찰해볼 수 있는 소도시로, 특별히 볼만한 건 없어보여도 아시아 최대 크기의 불상인 팔괘산 대불과 대만에 유일하게 남아있는 나선형 기관 차고인 장화선형차고가 있다. 또 한국에서도 흥행했던 대만 영화 〈그 시절, 우리가 좋아했던 소녀〉의 주 촬영지로도 유명한 곳으로, 영화를 감명 깊게 봤다면 한번쯤 방문해 촬영지를 찾아 돌아보는 것도 기억에 남는 여행이 될 것이다.

장화 여행 잘하는 법
장화는 대중교통으로 관광하기 좋은 편이 아니다. 장화역 바로 맞은편에 U-Bike 정차장이 있으므로 날이 너무 덥지만 않다면 자전거를 대여해서 둘러봐도 좋으며, 날이 덥다면 택시로 관광하는 것이 최선의 선택임을 추천한다. 또 장화는 오랜 시간 둘러볼만큼 관광지가 많은 도시는 아니므로, 장화 인근에 있는 루강^{鹿港}과 연계하여 반나절 여행으로 함께 둘러보기 좋다.

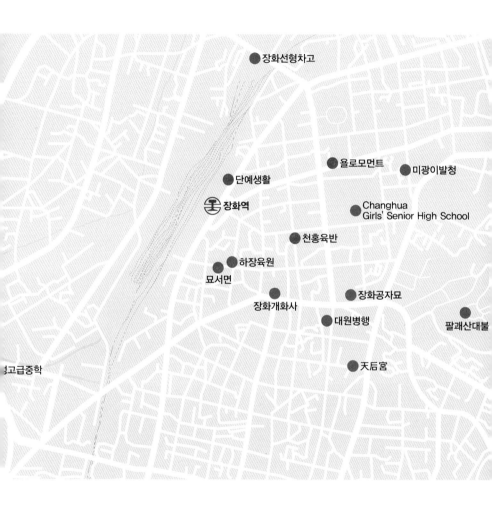

장화선형차고

욜로모먼트

미광이발청

단예생활

장화역

Changhua
Girls' Senior High School

천홍육반

하장육원

묘서면

장화개화사

장화공자묘

대원병행

팔괘산대불

天后宮

고급중학

팔괘산대불
八卦山大佛 | 빠과산다푸

거대한 패루를 지나 32개의 관음상이 이어진 길을 따라 올라가면 오른편에는 팔괘산 대불로 이어지는 길이, 왼쪽에는 전망대가 조성돼있다.

4m에 이르는 금색 연꽃 위에 앉아있는 팔괘산 대불은 높이가 약 22m에 이르러 아시아에서 가장 큰 대불이다. 인자한 미소로 내려다보는 모습 또한 인상적이며, 다가갈수록 웅장한 느낌이 든다. 내부는 불당과 부처에 대한 기록이 전시돼있다. 대불 뒤편에는 대불전大佛殿과 연못이 있으므로 가볍게 구경해볼 수 있다.

팔괘산 대불 맞은편의 전망대에서는 장화 시내를 한 눈에 내려다볼 수 있으며, 해질녘 즈음 방문하면 석양에 반짝이는 팔괘산 대불과 함께 멋진 풍경을 만날 수 있다. 팔괘산 대불로 올라가는 길은 꽤 높은 오르막이기 때문에 더운 날에는 택시 이용을 추천한다.

홈페이지_ chtpab.com.tw
주소_ 彰化縣彰化市溫泉路31號
위치_ 장화역에서 약 1.5km
시간_ 24시간 개방
전화_ 04-722-2290

장화시공회당
彰化市公會堂 | 짱화시궁후이탕

정기적으로 다양한 주제의 전시가 열리는 곳으로 건물은 1933년 일제강점기에 지어졌다.

고전적인 바로크 양식을 간직한 건물로 외관과 내부 건물 양식도 볼만하다. 장화에서 반드시 가봐야 할 정도는 아니지만, 전시의 질이 낮은 편은 아니기 때문에 인근에 있다면 한번쯤 들러 봐도 괜찮을 곳이다. 전시는 대부분 무료로 열리지만 이따금 유료 전시도 열리므로, 방문 시 확인하는 것이 좋다.

홈페이지_ art.changhua.gov.tw
주소_ 彰化縣彰化市中山路二段542號
위치_ 장화역에서 약 1km
시간_ 화~일 09:00~17:00 / 월요일 휴무
요금_ 대체로 무료이나 전시마다 상이함
전화_ 04-728-7243

장화공자묘
彰化孔子廟 | 짱화쿵쯔먀오

대만 전역에서 흔하게 볼 수 있는 공자와 유교의 성인을 모시는 곳이지만, 17세기 청나라 시대에 건축돼 청나라 건축 양식을 살펴볼 수 있는 곳으로 국가 지정 고적으로 지정돼있다.

오래된 건물로 전체적으로 낡은 느낌이 다소 있지만 구석구석 세세하게 지어진 흔적이 남아있다. 평소에는 인적이 드물고 조용한데다 정문도 평일엔 닫혀있지만, 명절이나 유교 행사 때에는 발 디딜 틈 없이 북적이며 정문도 활짝 열린다.

주소_ 彰化縣彰化市孔門路30號
위치_ 장화시공회당에서 도보 약 4분
시간_ 화~일 08:30~17:00 / 월요일 휴무
전화_ 04-723-6746

간 찹쌀떡으로 유명하다. 물론 팥고물 찹쌀떡도 있으므로 너무 걱정하지 않아도 된다. 골목 안쪽으로 들어가 오래된 공장 같은 건물 안쪽에 매장이 있다.

대원병행
大元餅行 | 다위엔빙싱

인근에서 핫핑크색 봉투를 들고 가는 현지인들이 보인다면 제대로 찾아온 것이다. 떡덕후라면 한번쯤 가봐야 하는 장화에서 소문난 찹쌀떡 전문점으로, 우리가 아는 팥고물이 들어간 일반적인 찹쌀떡이 아닌 짠맛의 고기와 야채 고물이 들어

홈페이지_ da-yuan.com.tw
주소_ 彰化縣彰化市民生路129巷6號
위치_ 장화공자묘에서 도보 약 2분
시간_ 08:30~21:30
요금_ 찹쌀떡류 20개입 NT$200
전화_ 04-722-5998

장화개화사
彰化開化寺 | 짱화카이후아쓰

1724년 청나라 관세음보살과 과거 의학적인 능력이 있었던 노인 의사 부부를 모시는 장화 최초 사묘私廟로 17세기에 지어졌다. 장화시민들이 아끼고 사랑하는 곳으로, 오랜 세월동안 천재지변과 전쟁 등 다양한 사건사고로 무너지기를 반복했지만

그때마다 시민들의 모금을 통해 재건됐으며 1998년에 7번째이자 마지막 재건이 이루어졌다. 가까이에서는 보이지 않지만 먼 곳에서 보면 높이 8m의 흰색의 관세음보살이 우뚝 서있다.

홈페이지_ chtp.changhua.org.tw
주소_ 彰化縣彰化市中華路134號
위치_ 대원병행에서 도보 약 3분
전화_ 04-726-8741

장화선형차고
彰化扇形車庫 | 짱화산싱처쿠

일제강점기에 만들어진 이후 대만에는 유일하게 남아있는 나선형 차고다. 나선형 차고는 부채꼴 모양으로 만들어진 차고 가운데에 회전 장치를 설치하여 차고지 안에 있는 열차를 다른 철로로 옮겨주는 근대적 방식의 열차 차고다.

평일에는 13~16시까지 운영하고 주말에는 10~16시까지 연장 운영하므로 시간에 유의하여 방문해야한다. 입장료는 없지만 방명록을 써야 들어갈 수 있다는 점이 독특하다. 방명록은 대표 1인만 기입하면 된다.

주소_ 彰化縣彰化市彰美路一段1號
위치_ 장화역에서 도보 약 600m
시간_ 화~금 13:00~16:00 / 토, 일 10:00~16:00
　　　 월요일 휴무
전화_ 04-726-4438

미광이발청
美光理髮廳 | 메이광리파팅

영화 〈그 시절, 우리가 좋아했던 소녀〉에서 남자 주인공이 머리를 깎았던 촬영지로, 예쁜 필터 없이 그냥 사진을 찍어도 영화의 한 장면처럼 보일 정도로 옛날 감성이 가득 풍긴다. 물론 실제로도 계속 운영 중인 이용원으로 사진을 찍을 때는 주인할아버지께 양해를 구하고 찍는 것이 좋다.

주소_ 彰化縣彰化市永昌街2號
위치_ 장화역에서 도보 약 800m
전화_ 09:00~20:00

정성고급중학
精誠高級中學 | 징청가오지중쉐

영화 〈그 시절, 우리가 좋아했던 소녀〉의 주인공들이 학창시절을 보냈던 학교 촬영지로, 영화감독이 실제로 다녔던 고등학교다. 학교 내부에는 영화에 나왔던 장면 구석구석을 찾아볼 수 있지만, 지금도 학생들이 실제로 다니고 있는 학교로 평일에는 출입할 수 없으며 주말에만 들어가 볼 수 있다.

홈페이지_ cchs.chc.edu.tw
주소_ 彰化縣彰化市林森路200號
위치_ 장화역에서 약 1.5km
전화_ 04-762-2790

EATING

하장육원
阿璋肉圓 | 아짱로우위엔

1966년 문을 연 대만식 미트볼 로우위엔 肉圓 전문점으로, 장화에서 단연코 가장 많은 사람이 방문하는 음식점이라고 해도 과언이 아닐 정도로 유명한 음식점이다. 원래도 맛있는 미트볼 맛집이었으나, 영화 〈그 시절, 우리가 좋아했던 소녀〉에서 주인공과 친구들이 하교 후 간식을 먹었던 장소의 촬영지로 알려지며 더 유명해졌다.

식당은 주방과 연결된 건물, 맞은편 건물로 나누어져 있으며, 주문은 주방 앞에서 하고 본인의 음식이 나왔을 때 직접 가져가야한다. 두툼한 전분 반죽에 돼지고기, 버섯 등이 들어간 로우위엔은 짭짤하고 달달하며 쫄깃한 맛으로 향신료 맛이 별로 없어 한국인 입맛에도 편하다.

주소_ 彰化縣彰化市長安街144號
위치_ 장화역에서 도보 약 4분
시간_ 09:30~22:00
요금_ 로우위엔(肉圓) NT$45
전화_ 04-722-9517

묘서면
貓鼠麵 | 마오수미엔

묘서면은 오래된 국수 전문점으로 장화 시민들이 좋아하고 아끼는 음식점이다. 고양이 묘貓 자에 쥐 서鼠 자를 쓴 간판 그대로 읽으면 고양이쥐 국수라는 뜻이 돼 다소 꺼림칙 할 수 있지만, 묘서는 창업자의 별명과 관계있을 뿐 음식과는 관계없으니 걱정 말고 들어가도 좋다. 간판 음식인 묘서면貓鼠麵은 깔끔한 국물맛과 통통한 완자, 쫄깃한 면발을 자랑한다.

주소_ 彰化縣彰化市陳稜路223號
위치_ 하장육원에서 도보 약 1분
시간_ 09:00~20:00
요금_ 묘서면(貓鼠麵) NT$40
전화_ 04-722-9517

천홍육반
泉焢肉飯 | 취엔홍로우판

장화시민들이 간단하게 식사를 해결하기 위해 찾는 현지인 맛집이다. 간판 메뉴는 두툼한 돼지고기 삼겹살을 오랜 시간 삶고 졸여 밥에 얹어 먹는 광로우판^{焢肉飯}으로, 한국인 입맛에도 먹기 편하여 끼니를 가볍게 해결하기 좋다. 하지만 아침 7시에 영업을 시작해 오후 2시 이전에 닫기 때문에 영업시간에 주의하여 방문해야한다.

주소_ 彰化縣彰化市成功路216號
위치_ 장화역에서 도보 약 6분
시간_ 07:00∼13:30
요금_ 로우판(焢肉飯) 소(小) NT$45
전화_ 04-728-1979

장화목과우유대왕
彰化木瓜牛乳大王 | 짱화무과뉴로다왕

현지인들이 자주 찾는 파파야 우유 전문점이다. 다홍빛으로 잘 익은 파파야를 깨끗하게 다듬어내 시원하고 달달하게 갈아주는 파파야 우유는 대만의 더운 날씨를 잠시간 잊게 해준다.
장화목과우유대왕은 음료 제조 환경과 과정도 청결하여 더 믿고 먹을만 하다. 젊은 직원들은 간단한 영어를 사용할 줄 알기 때문에 주문이 어렵지 않으며, 음료 이외에도 생과일과 과일 빙수를 판매하고 있다. 안에서 달콤한 과일을 먹으며 다음 행선지를 위한 당을 충전해보는 것도 추천한다.

주소_ 彰化縣彰化市中華路37號
위치_ 장화공자묘 맞은편
시간_ 11:10~22:00
요금_ 파파야우유 NT$55
전화_ 04-724-9840

욜로모먼트
YOLO MOMENT

주말이면 장화의 젊은이들로 가득 차는 감성 핫플레이스다. 자매가 운영하는 베이커리와 카페는 인테리어 디자인부터 작은 소품들까지 구석구석 주인의 손길이 닿지 않은 곳이 없다.

달콤한 빵과 맛있는 커피, 대만산 식재료를 사용해 감각적이고 예쁘게 내어놓는 다양한 식사메뉴와 디저트는 저절로 카메라를 들이대게 된다. 관광객은 많이 없고 현지인들의 도란도란한 이야기가 넘쳐나는 소도시에서의 감성 넘치는 공간을 원한다면 반드시 찾아가야할 곳.

홈페이지_ facebook.com/yolomoment.tw
주소_ 彰化縣彰化市中正路一段430號
위치_ 장화역에서 도보 약 6분
시간_ 목~화 10:00~17:30 / 수요일 휴무
요금_ 음료류 NT$120~
전화_ 04-722-2436

단예생활
端倪生活 | 딴니성후어

과거 대만 철도 직원들의 기숙사로 사용되던 건물을 리모델링하여 대만의 옛 감성을 느껴볼 수 있는 카페다. 장화역 인근에 있어 접근성도 좋으며, 섬세하고 감각적인 주인의 손길로 재탄생한 카페는 현대적인 감성도 넘친다.

메뉴판은 영어가 잘 표기돼있으며 친절한 주인 또한 영어 응대가 가능하기 때문에 편하게 주문할 수 있다. 음료와 디저트 모두 주인이 직접 만드는 곳으로 믿고 먹을 수 있다.

주소_ 彰化縣彰化市三民路9號
위치_ 장화역에서 도보 약 1분
시간_ 월~금 09:00~17:00 / 토, 일 09:00~17:30
요금_ NT$90~
전화_ 04-722-4127

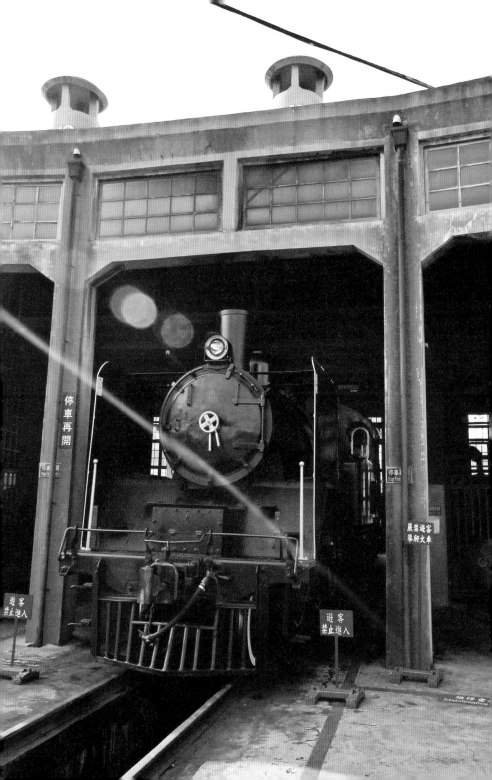

鹿港

루강

鹿港

루   강

루강은 항구 도시로 과거 청나라 건륭기에 활발한 무역 활동을 이루면서 상업 도시로 발전했던 곳이다. 이 시기에 지어졌던 다양한 옛 건축물들은 오랜 시간이 지난 지금까지도 잘 보존돼, 대만에서 옛 숨결이 가장 잘 남아있는 도시로 불린다. 특히 루강은 특색 있는 좁은 골목으로 이루어진 도시로, 각각 다른 감성을 갖고 독특한 상점이 숨어있는 골목골목을 탐험하면서 루강의 오래된 숨결을 느껴보자.

루강 여행 잘하는 법
루강은 인근에 있는 장화와 함께 여행하기 좋다. 루강은 장화에 비해 볼거리가 많은 편인데, 밤에 보는 것도 운치가 있긴 하지만 낮에 관광하는 것이 조금 더 낫기 때문에 오전에 장화를 둘러본 뒤 루강으로 이동해 관광하는 것을 추천한다. 루강에서 타이중역으로 돌아갈 때는 중루객운中鹿客運에서 9018을 타자. 1시간 정도면 타이중역 인근으로 손쉽게 돌아갈 수 있다.

루강은 도보 여행으로 돌아보기 충분한 도시지만 곳곳에 U-BIKE가 있어 자전거를 대여하여 둘러봐도 좋으며, 관광객을 대상으로 루강의 관광지 곳곳을 안내해주는 삼륜 자전거를 이용해도 좋다(중국어 안내). 삼륜자전거의 요금은 60분에 NT$400, 150분에 NT$600 정도다.

루강하도가자전

루강천후궁

옥진재

루강 어린이 공원

신조궁

채식 전문식당

Lukang Literary Arts Hall

춘유청가배만식

Lukang Township Office

Lugangxiaolu Children's Park

중루객운

이고재인문차관

반변정

루강예술촌

루강라오제

루강 우체국

Luojin Elementary School

루강진제일공유소매시장

왕만면선호

루강민속문물관

구곡항

하진육포

모유항

서집희실

Lukang Primary School

노용사육포

루강용산사

루강천후궁
鹿港天后宮 | 루강티엔허우궁

1683년 청나라 시대 때 지어진 사원으로 바다의 신인 마조를 모시는 곳이다. 대만에서 가장 오래된 마조 사원으로 3급 고적으로 지정돼있다. 과거 항구도시로 번성한 루강이었기 때문에 수호의 의미로 지어졌다.

마조의 탄신일인 음력 3월 23일에는 대만 전역에서 마조 신자들이 찾아와 대축제가 펼쳐지며 성황을 이룬다. 루강 천후궁 주변으로 다양한 식당과 간식거리, 볼거리가 널려 있으므로 함께 구경하기 좋다.

홈페이지_ lugangmazu.org
주소_ 彰化縣鹿港鎮中山路430號
위치_ 중산로(中山路)와 민생로(民生路)가
　　　 교차하는 사거리
전화_ 04-777-9899

옥진재
玉珍齋 | 위젠자이

루강천후궁 오른편에 위치한 상점으로, 청나라 시대인 1877년부터 영업을 시작해 대만의 역사를 함께한 제과전문점이다. 본점은 이 곳 루강이며 루강 내에도 분점이 여러 개 있고 타이베이, 가오슝 등에도 분점을 두고 있다.
옥진재에서는 다양한 대만 전통 과자와 빵은 물론이고 펑리수, 누가크래커, 태양병 등 대만 및 타이중에서 유명한 과자류를 살 수 있다. 각 상품에 영어 표기와 가격이 적혀있어 구매는 어렵지 않으며, 펑리수는 새콤하기보단 적당히 달달한 편이다.

홈페이지_ 1877.com.tw
주소_ 彰化縣鹿港鎮中山路435號
위치_ 루강천후궁 오른편
시간_ 월~금 08:00~20:00 / 토, 일 07:00~21:00
요금_ 펑리수 12입 NT$420~
전화_ 04-775-5660

신조궁
新祖宮 | 신쭈궁

천후궁과 똑같이 바다의 신 마조를 모시는 곳으로 1788년에 지어진 마조 사당이다. 대만에서는 건륭제의 명으로 지어진 최초의 마조사당 이라는 것과 국가 세금으로 지어졌다는데 역사적인 의미가 있기도 하다. 천재지변과 일본 점령 시의 포격 등으로 무너졌다가 1970년에 마지막으로 재건됐다.

주소_ 彰化縣鹿港鎮埔頭街96號
위치_ 루강천후궁에서 도보 약 3분
전화_ 04-777-2497

루강라오제
鹿港老街

루강에 왔다면 반드시 들려야할 곳으로 야오린제^{瑤林街}와 부터우제^{埔頭街}가 이어진 거리다. 붉은 벽돌로 덮인 바닥과 건물들은 옛 감성을 그대로 간직하고 있어 과거로 시간을 이동한 것 같은 느낌이 들며 구석에 있는 찻집, 복고풍의 장난감과 특산품, 기념품 상점들은 저절로 구경하고 싶은 욕구가 생긴다.

해가 지고 불이 켜졌을 때도 운치 있지만, 여러 가지 볼거리를 원한다면 많은 상점들이 열려있는 낮에 방문하는 것이 더 좋다.

주소_ 彰化縣鹿港鎮瑤林街, 埔頭街
위치_ 중루객운에서 도보 약 2분

299

반변정
半邊井 | 반비엔징

앞만 보고 무심하게 걸어가다간 놓칠 수 있는 루강라오제의 특색 있는, 가슴 찡한 볼거리다. 부유층 외에는 아무나 우물을 파기 어려웠던 과거, 심한 가뭄으로 생활이 어려운 시민들이 물을 구하기 어려워지자 벽 밖으로 우물의 반쪽을 내놓아 모든 이들이 물을 떠갈 수 있게 만들었던 흔적이 그대로 남아있다.

주소_ 彰化縣鹿港鎮瑤林街12號
위치_ 루강라오제 내

루강예술촌
玉珍齋 | 위젠자이

일본식 가옥이 모여있는 이 곳은 일제 강점기 일본 경찰관의 기숙사로 사용됐던 곳이다. 이후 루강 지방 정부에서 예술촌으로 개축하여 각종 민속 공예가와 예술가들이 둥지를 틀고 공방을 세웠다.
예술촌 인근의 벽화와 건물 내부로 들어가지 않고 쓱 돌아보기만 한다면 5분 정도 밖에 소요되지 않는 작은 곳이지만, 공방과 상점에 들어가 대만 감성이 풍기는 특색 있는 소품과 예술품, 기념품을 구경하다보면 의미 있는 물건을 만나게 될 수도 있을 것 같다.

홈페이지_ facebook.com/pg/lukangartistvillage
주소_ 彰化縣鹿港鎮桂花巷藝術村
위치_ 루강라오제에서 도보 약 2분
시간_ 상점 및 공방마다 상이하나 대체로
　　　10:00~18:00
전화_ 04-777-2006#2308

구곡항
九曲巷 | 주취샹

구곡항은 아홉 구九자와 굽을 곡曲자에 거리 항巷자를 써서 아홉 번 굽은 거리라는 뜻이지만, 실제로 딱 아홉 번만 굽은 것은 아니고 아홉 개만큼 여러 번 굽어져있다. 들어서기 전까지는 막혀있는 것처럼 보이지만 막상 들어서면 끊어질 듯 계속 이어지는 골목이다.

구불구불한 구조는 강한 바람과 모래를 막는 역할도 맡는다고 한다. 무언가 특별한 볼거리가 있는 거리는 아니므로 다른 관광지로 이동하는 중에 만나거나 인근에 있을 때, 산책 겸 들어가 보는 것도 좋다.

주소_ 彰化縣鹿港鎮金盛巷
위치_ 민족로(民族路)와 미시가(美市街)가 만나는 삼거리 인근 골목.

복, 보석, 가구, 책 등 각종 물건과 소품 등까지 함께 기증해 약 6,000여점의 유물을 만나볼 수 있다.

루강민속문물관
鹿港民俗文物館 | 루강민쑤원우관

대만의 대부호였던 구시엔롱^{辜顯榮}의 개인 저택으로 1920년에 지어진 바로크 양식의 건물이다. 앞은 루강의 주변 풍경과는 전혀 다른 서양식이지만 뒤편은 중국식이다.
1973년 구씨 가족이 저택을 기증하면서 민속박물관으로 사용됐으며, 저택에서 청나라시기 때부터 간직해왔던 유물과 의

홈페이지_ lukangarts.org.tw
주소_ 彰化縣鹿港鎮館前街88號
위치_ 구곡항에서 도보 약 5분
시간_ 화~일 09:00~17:00 / 월요일 휴무
요금_ 성인 NT$130 / 장애인 및 65세 이상 NT$70
전화_ 04-7777-2019

모유항
摸乳巷 | 모루샹

성인 한 명이 어깨를 펴고 지나갈 정도의 폭을 갖고 있는 골목으로, 쓰다듬을 모摸, 젖 유乳, 거리 항巷자를 써 가슴이 쓰다듬어질 정도로 좁다는 의미를 담고 있다. 골목의 총 길이는 100m에 달하며 골목의 가장 좁은 폭은 70cm밖에 안 돼 어깨를 펴고 지나가기도 힘들 정도다.

모유항은 여성이 골목을 건너오고 있을 때 남성이 골목 밖에서 기다린다 하여 신사 골목Gentleman Alley라는 별칭도 붙여졌다고 한다.

홈페이지_ lacebook.com/molulane
주소_ 彰化縣鹿港鎮菜園路
위치_ 구곡항에서 도보 약 6분
전화_ 0952-771-406

루강용산사
鹿港龍山寺 | 루강룽산쓰

용산사는 관세음보살을 모시는 한전불교 사원으로 대만에는 총 5개의 용산사가 있다. 그 중 루강의 용산사는 1786년에 세워져 국가 1급 고적으로 지정된 목조 사당으로, 낡고 빛바랜 모습이 많이 보이지만 대만의 용산사 중 가장 보존이 잘 돼있으며 정교한 조각과 섬세한 장식 또한 눈에 띄어 아름다운 용산사라고 불린다.

극찬을 받는 것과는 다르게 방문하는 사람이 많이 없어 쓸쓸하지만, 언제나 사람이 북적이는 대만의 다른 용산사보다 한산하고 조용하게 즐길 수 있다는 점은 좋은 편이기도 하다.

홈페이지_ lungshan-temple.org.tw
주소_ 彰化縣鹿港鎮龍山街100號
위치_ 루강라오제에서 도보 약 5분
전화_ 04-777-2472

305

루강하도가자전

鹿港阿道蚵仔煎 | 루강아다오커자이지엔

루강천후궁 맞은편에 위치한 음식점으로 대만에서 쉽게 볼 수 있는 굴전인 커자이지엔^{蚵仔煎} 전문점이다. 신선한 굴을 여러 개 넣어 구워주는 굴전은 바삭하고 촉촉하며, 소스 또한 달달하고 짭짤해 조화가 좋다. 메뉴판에 음식 사진과 함께 영어 표기가 잘 돼있어 주문이 어렵지 않다.

주문지에 테이블 번호를 쓰고 원하는 음식에 수량을 체크한 뒤 음식값을 선불로 계산하면 음식을 테이블로 가져다준다. 추가 양념과 젓가락은 셀프로 가져다 먹으면 된다.

주소_ 彰化縣鹿港鎮中山路436號
위치_ 루강천후궁 맞은편
시간_ 월, 화, 목~일 08:00~20:00
　　　　수 08:00~21:00
요금_ 커자이지엔(蚵仔煎) NT$60
전화_ 0923-153-658

춘유청가배만식
春有晴咖啡慢食 | 춘유청카페이만시

오래된 붉은색 벽돌담 안에 발을 들이면 꽁꽁 숨어있던 정원이 펼쳐진다. 외부 정원 자리는 피크닉을 하는 듯 산뜻한 분위기에서 음식을 즐길 수 있으며, 내부는 우드인테리어를 기반으로 앤틱한 가구와 각기 다양한 소품들이 조화를 이루며 대만의 복고 감성을 가득 풍긴다. 음료와 식사 모두 즐길 수 있는 곳으로 메뉴는 햄버거, 파스타, 리조또 등의 양식이 주류다. 커피와 함께 즐길 수 있는 다양한 디저트도 인기인 곳으로, 영어 메뉴판이 있으므로 주문 시 요청하자.

홈페이지_ facebook.com/ChunYouQingKaFeiManShi MoShiGuangCanTing
주소_ 彰化縣鹿港鎮埔頭街68號
위치_ 신조궁에서 도보 약 2분
시간_ 10:00〜18:00
요금_ 음료류 NT$90〜
전화_ 04-777-6861

이고재인문차관
怡古齋人文茶館 | 이구자이런원차관

옛 대만 찻집의 분위기를 가득 느껴지는 곳으로 루강의 전통차와 전통 빙수를 먹어볼 수 있는 곳이다. 간판메뉴는 쌀튀밥이 올라간 곡물차인 빙미엔차米麵茶와 곡물가루가 올라간 빙수인 멘차취빙麵茶剉冰이다. 빙미엔차는 찬 곡물 음료이며, 멘차취빙은 한국의 눈꽃빙수처럼 곱게 갈린 우유얼음에 달콤 쌉싸름한 곡물가루와 녹두, 대만식 젤리 등이 들어가 건강한 빙수 맛을 경험해볼 수 있다. 영어메뉴판이 있어 쉽게 주문할 수 있다.

홈페이지_ facebook.com/pg/egood8
주소_ 彰化縣鹿港鎮埔頭街6號
위치_ 신조궁에서 도보 약 2분
시간_ 10:00~18:00
요금_ 빙미엔차(氷麵茶))NT$40
멘차취빙(麵茶剉冰) NT$70
전화_ 04-775-6413

왕만면선호
王罔麵線糊 | 왕왕미엔시엔후

진짜 맛집은 메뉴가 적다는 말을 인증하 듯 하나의 단일메뉴로 승부하는 국수 죽 전문점이다. 국수 죽은 오랫동안 끓인 소 면에 돼지고기튀김을 넣고 뭉근하게 만 든 국수로, 젓가락으로는 먹을 수 없어 숟 가락을 사용해 먹어야 한다.
한화 1,000원도 안 되는 가격에 할머니 인심처럼 양 많은 국수를 먹을 수 있다.

왕만면선호 인근으로 국수 죽 전문점이 여러개 있지만 이 곳이 가장 인기가 많고 유명하다. 국수 죽은 적당히 간간한 편이 며, 테이블마다 셀프로 고수와 소스를 넣 어 먹을 수 있는데 맛이 확 달라지므로 조심해서 넣자.

주소_ 彰化縣鹿港鎮民族路268號
위치_ 루강라오제에서 도보 약 4분
시간_ 05:30~19:00
요금_ NT$25
전화_ 0958-629-960

하진육포
阿振肉包 | 아전러우바오

루강의 유명 만두 전문점으로 무려 8대째 영업하고 있는 유서 있는 곳이다. 루강을 넘어서서 대만 전역에서 유명한 곳으로 대만 현지 관광객들도 이곳의 만두를 먹어보려고 찾아온다.

간판 만두는 고기만두와 야채만두로 루강 현지인들의 인기 간식이기도 하다. 일반적인 한국인 입맛에는 살짝 달달한 편이지만 먹기에는 무리가 없으며, 한 개로는 아쉬울 수도 있다.

홈페이지_ a-zen.com.tw
주소_ 彰化縣鹿港鎮中山路71號
위치_ 구곡항에서 도보 약 3분
시간_ 09:00~19:00
요금_ 고기만두, 야채만두 NT$20
전화_ 04-777-2754

서집희실
書集喜室 | 슈지지시

좁은 골목 안에 숨어있어 무심코 지나칠 수 있는 서집희실은 1931년에 지어진 2층 고택을 리모델링한 책방 겸 찻집이다. 책은 문화 및 역사와 관련된 헌책과 신간도서가 있다. 내부 인테리어는 현대적이기도 하고, 복고적이기도 해 어디 가서 앉아야할지 고민될 정도로 매력이 넘친다.

친절한 남성 주인은 중국어밖에 할 수 없지만 최선을 다해 응대하며, 음료는 가게 한쪽 구석에 메뉴판이 있으므로 가리켜 주문하면 된다.

홈페이지_ facebook.com/xishibookandtea
주소_ 彰化縣鹿港鎮杉行街20號
위치_ 하진육포에서 도보 약 4분
시간_ 수~일 11:00~17:30 / 월, 화 휴무
요금_ 음료류 NT$45~

노용사육포
老龍師肉包 | 라오롱시로우바오

하진육포와 루강의 만두 맛집 호각을 다
투는 만두 전문점이다. 역시 고기만두가
간판 메뉴인데 두툼한 밀가루 반죽 안에
또 두툼한 고기 덩어리가 들어있는데다
표고버섯까지 들어가 영양만점이다. 적당
히 짭짤하고 달달한 맛으로 향신료 맛이
전혀 안나 한국인 입맛에도 편하고 좋다.
한 개만 사서 먹으면 또 생각나는 맛이므
로 적어도 두 개는 사보자.

홈페이지_ lls.com.tw
주소_ 彰化縣鹿港鎮三民路117號
위치_ 루강용산사에서 도보 약 2분
시간_ 화~일 08:00~19:30 / 월요일 휴무
요금_ 고기만두 NT$20
전화_ 04-777-7402

集集線 · 車埕

지지선 — 처청

集集線 - 車埕
지 지 선 — 처 청

지지선은 얼쉐이ᄆᅕ부터 처청車埕을 연결하는 29.7km의 지선 열차로, 일제강점기였던 1921
년 처청 인근에 있는 일월담에 수력발전소를 건설하기 위해 개통됐다. 이후에는 타이베이
의 지선 열차 여행인 핑시선平溪線처럼 관광열차로 사용되며 타이중 여행자들의 발길을 끌
고 있다. 지지선에서 가볼만한 곳은 지지선의 시작점 얼쉐이ᄆᅕ, 지지선의 마을 중 가장 지
역적인 볼거리가 많아 대만 현지 여행객들이 많이 찾는 지지集集. 도자기 공방이 곳곳에 있
는 쉐이리水里, 임업으로 번성했던 과거의 모습을 이어가는 처청車埕 등이 있다. 그 중 대만
에서 가장 아름다운 간이역으로 유명하며, 외국인 관광객이 쉽게 즐길 수 있는 관광 환경
이 조성돼있어 많은 여행자들이 방문하는 처청車埕을 중점적으로 소개한다.

지지선 – 처청 여행 잘하는 법
지지선으로 가는 가장 빠른 방법은 역시 기차다. 타이중역에서 기차를 타고 얼쉐이ᄆᅕ까지
1시간 정도 이동한 후 얼쉐이에서 지지선 열차로 갈아타면 되며, 처청車埕까지는 약 50분 정
도 시간이 걸린다. 처청은 작은 마을로 밥을 먹고 산책을 하거나 차를 마시며 몇 시간 정도
보내기엔 좋지만, 매우 대단한 볼거리는 없기 때문에 반나절 이상 시간을 보내기엔 다소
지루할 수 있다. 하지만 처청에서 6671 버스로 30분 정도면 도착하는 가까운 거리에 타이
중 여행의 꽃이라 불리는 일월담이 있다. 일월담과 연계하여 일일 여행으로 계획한다면 이
동 시간을 절약하고 여행 동선도 줄이는 일석이조의 여행이 된다.

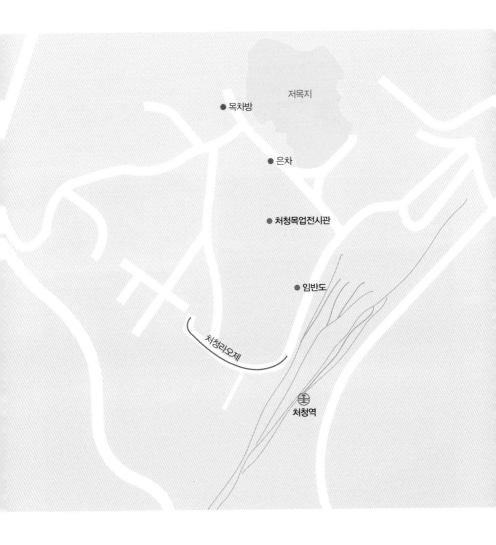

저목지

● 목차방

● 은차

● 처청목업전시관

● 임반도

처청랴오제

☩
처청역

처청역
車埕站 | 처청잔

처청역은 답답하고 꽉 막힌 여느 기차역과 다르게 사방이 뻥 뚫려있다. 좁은 열차에서 내리자마자 펼쳐지는 광활한 자연 풍경과 소소하게 꾸며져 있는 기차역 주변은 대만에서 가장 아름다운 간이역이라는 별명이 붙을 만 하게 느껴진다.

처청역을 주변으로 처청목업전시관, 임반도 등 처청의 굵직한 볼거리가 모두 몰려 있으며, 처청역 앞에는 과거 일제가 설탕을 수출하기 위해 사용했던 열차와 관련 내용이 전시돼있다.

주소_ 南投縣水里鄉民權巷2號
위치_ 타이중역에서 열차로 약 1시간 50분 소요

임반도
The Grove Taiwan
林班道 | 린반다오

처청 관광의 중심이 되는 복합문화공간
으로 처청역 바로 옆에 위치해있다. A, B,
C 구역으로 나누어진 넓은 공간에 생활
전반에 필요한 여러가지 목공 제품, 의류
및 잡화 등을 판매하는 상점이 입점해있
어 다양한 볼거리를 즐길 수 있다. 목공
DIY 체험을 할 수 있는 가구공방인 임반

도체험공장林班道體驗工廠은 왼편에 따라 위
치해있다. 화요일은 거의 모든 공간이 휴
무이기 때문에 즐기기 어려워지므로, 방
문 시 요일에 주의하는 것이 좋다.

홈페이지_ grove.com.tw
주소_ 南投縣水里鄉民權巷101-5號
위치_ 처청역 오른편
시간_ 월, 수~금 10:00~18:00
　　　　주말 및 공휴일 09:00~19:00 / 화요일 휴무
전화_ 049-277-5976

처청목업전시관
車埕木業展示館 | 처청무예잔스관

과거 처청의 임업이 어떻게 이루어졌는지 볼 수 있는 전시관이다. 사람 크기보다 조금 작은 밀랍 인형들이 집채 만한 나무를 수송하고 재단하는 모습 등을 볼 수 있으며 나무를 이용한 간단한 DIY 체험도 할 수 있다.

대만의 미취학 어린이나 저학년 학생들이 체험학습으로 자주 오는 곳으로, 가족 단위 여행객들도 방문하기 좋다.

주소_ 南投縣水里鄉民權巷110-2號
위치_ 처청역 뒤편
시간_ 월~금 09:30~17:00 / 토, 일 09:30~17:30
전화_ 049-287-1791

처청라오제
車埕老街

이렇다하게 특별한 볼거리는 없지만 처청만의 한적하고 소박한 분위기를 느껴볼 수 있는 옛 거리다. 집집마다 소소하게 그려져 있는 벽화가 눈길을 끌고, 명절이나 크리스마스, 연말연시 등에는 시즌에 맞는 소품들이 장식돼 마을의 아기자기함을 더한다.

라오제 곳곳에서는 간단한 간식이나 기념품, 잡화 등을 판매하며, 특히 과거 임업의 인부들이 먹었던 나무도시락을 판매하므로 마음에 드는 곳을 골라 식사해보는 것도 좋다.

주소_ 南投縣水里鄉民權巷
위치_ 처청역 뒤편

저목지
貯木池 | 주무치

저목지는 임업이 번성했던 과거 벌목했던 나무를 담가두었던 연못이다. 현재는 주홍빛의 잉어가 한가로이 노닐고 절벽

산에 둘러싸인 처청과 작은 연못의 호젓한 분위기를 함께 감상할 수 있다. 연못 주변으로는 작은 산책로가 조성돼있어 가볍게 산책하면서 둘러보기 좋다.

주소_ 南投縣水里鄕民權巷
위치_ 처청역에서 도보 약 5분

EATING

목차방
木茶房 | Cedar Tea House 무차팡

처청에 온 여행자라면 한번쯤 먹어봐야 할 나무통 도시락이다. 처청 곳곳에서 과거 임업에 종사했던 인부들이 먹었다던 나무통 도시락을 재현하여 다양한 메뉴의 대만식 도시락을 먹어볼 수 있지만, 목차방에서는 좀 더 깔끔하고 정갈한 도시락 세트를 만날 수 있어 사진으로 찍기에도 좋다. 물론 도시락이라기엔 딱히 저렴한 가격은 아니지만 도시락 통을 가져갈 수 있다는 이점이 있다. 나무통 도시락이 아니더라도 식사와 차 및 간단한 디저트를 즐길 수 있으며, 1인당 NT$150의 최소 주문금액이 있다.

///

홈페이지_ facebook.com/CedarTeaHouse
주소_ 南投縣水里鄉民權巷5號
위치_ 저목지 인근
시간_ 월, 수~금 10:00~18:00 / 토,일 10:00~18:30
　　　화요일 휴무
요금_ 나무통 도시락 NT$390
전화_ 049-277-2873

은차 | Steam | 隱茶 | 인차

은차는 처청에 왔다면 시간을 내어서라도 방문해야할 차 전문점이다. 은차는 저목지 바로 앞에 위치해있기 때문에 좌식 공간에 앉아 차를 마시면 연못 위에 둥둥 떠서 차를 마시는 듯한 기분이 든다.

날씨가 맑은 날에는 푸른 하늘과 연못을 배경으로 산뜻하게 차를 마시고, 날이 어둑어둑한 날에도 진녹으로 물든 연못과 짙은 안개가 만드는 차분한 분위기가 차 맛을 더한다. 그야말로 분위기가 다 하는 처청의 핫 감성플레이스로, 처청을 방문해 잠시 쉬어가고 싶은 여행자들에게 꼭 추천하는 곳이다.

음료 외에 식사메뉴도 준비돼 있으며, 1인당 최소 주문금액은 NT$150이고 2시간의 이용 시간제한이 있다.

////////////////////////////////////

홈페이지_ facebook.com/steam.grove
주소_ 南投縣水里鄉民權巷101-3號
위치_ 저목지 앞
시간_ 월, 수~금 10:00~18:00 / 토,일 10:00~18:30
　　　화요일 휴무
요금_ 음료류 NT$120
전화_ 049-277-6471

日月潭

일월담

日月潭

일   월   담

대만 중부의 깊고 높은 산 속에 위치한 일월담^{日月潭}은 아주 먼 옛날 샤오족^{邵族}이라는 원주민들이 흰 사슴을 쫓다가 발견했다고 한다. 일월담은 호수 가운데에 위치한 라루섬^{拉魯島}을 기준으로 동쪽은 달을, 서쪽은 해를 닮았다 하여 일월담이라는 이름이 붙여졌으며, 대만에 있는 담수호 중 가장 높은 곳에 위치해있고 크기도 가장 큰 것으로 알려졌다. 일월담의 풍경은 날이 좋든, 좋지 않든 언제나 즐기기에 그만인 분위기를 갖춘다.

날이 맑고 햇빛이 쨍하게 내리쬘 때 반짝이는 푸른 옥색의 호수물은 어린아이들이 간지럼에 웃는 것만 같고, 구름이 끼고 비가 오며 안개가 낀 날에도 어딘가에서 나이 지긋한 신선이 한가로이 노닐고 있을 것만 같다. 곳곳에 있는 관광지마다 색다른 모습을 만날 수 있는 일월담. 당일치기보다는 하루쯤 숙박하면서 일상에 지쳤던 몸을 자연에 한껏 내려놓기를 추천한다.

일월담 여행 잘하는 법

– 일월담^{日月潭} 여행은 자유 여행, 일일투어, 택시투어로 나누어서 볼 수 있다. 일월담은 자유여행도 어렵지 않을 정도로 관광 인프라가 충분하며, 인프라를 묶어놓은 패키지 티켓도 있지만 세세하게 알아보며 일정을 짜고 시간을 맞추는 일은 역시 번거롭다. 다행히 일월담은 일일투어와 택시투어 서비스도 많은 곳이며, 다양한 여행 플랫폼 어플에서 투어 상품을 쉽게 예약할 수 있다. 마음에 드는 투어를 선택하여 쉽고 편하게 다녀오는 것도 추천하며, 특히 어린아이를 동반하거나 부모님과 함께하는 가족 여행자들에게 추천한다.

– 일월담^{日月潭}은 곳곳에 있는 관광지를 방문하는 셔틀 버스와 셔틀 보트가 있어 자유 여행자도 어렵지 않게 다녀올 수 있다. 하지만 배차 간격이 때로는 15분, 때로는 70분 정도로 천

차만별이다. 본인이 방문하는 관광지의 특성과 관광할 시간, 다음 일정을 잘 고려하여 시간대를 계획하여 움직이는 것이 좋다.

– 일월담^{日月潭}은 셔틀 버스와 셔틀 보트가 닿지 않는 관광지가 몇 개 있어 이러한 곳에 방문할 계획이 있다면 자전거를 대여해 이동하는 것이 좋다. 자전거는 일월담 여행의 시작이자 각 지역으로 연결되는 버스가 있는 쉐이셔관광안내센터^{水社遊客中心} 주변에 대여점이 여러 개 있으며, 쉐이셔와 함께 일월담 여행의 필수 코스로 꼽히는 사오족^{邵族} 마을 이다샤오에서도 쉽게 찾을 수 있다.

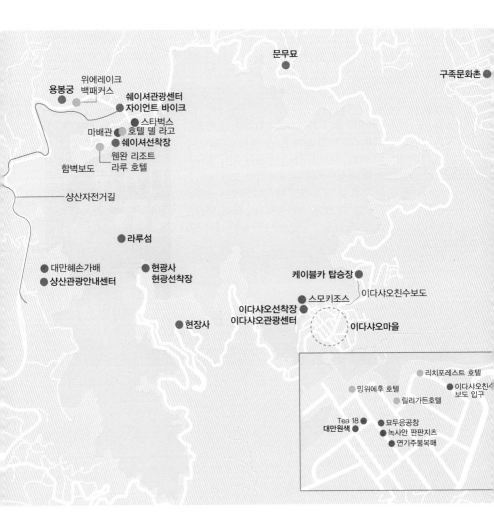

일월담 가는 법

타이중역臺中車站에서 도보 약 8분 거리에 있는 난터우커윈南投客運 앞 간청 정류장干城站에서 대만 여행 관광 버스인 타이완하오싱台灣好行 6670 버스를 타면 쉽게 도착할 수 있다. 간청에서 출발한 타이완 하오싱은 타이중역臺中車站과 타이중 고속철역高鐵台中站에도 정차하는데, 지정좌석예약제가 아닌 선착순 탑승이기 때문에 간청으로 이동하여 타는 것이 좋다.

타이완 하오싱은 오전 7시 45분~오후 7시 45분 사이에 짧게는 5분, 길게는 30분 정도 배차 간격이 있으며, 종점인 일월담(쉐이셔 관광안내센터水社遊客中心까지 약 1시간 45분에서 약 2시간 정도 소요된다.

일월담 패키지 티켓

일월담은 타이중역에서 오고 가는 버스, 일월담 내 관광지를 이동하는 셔틀 버스와 셔틀 보트 등 꼭 이용해야하는 교통 수단이 많다. 각각의 요금을 지불하면 높은 이용 요금이 들지만 일월담 여행 패키지 티켓을 구매하면 보다 저렴한 가격에 이용할 수 있게 된다. 일월담 패키지 티켓은 난터우커윈南投客運에서 구매할 수 있다. 실버패키지는 65세 이상만 구입할 수 있으며, 구매 시 증명 가능한 신분증을 제시해야 한다.

		타이완 – 하오싱 타이중 – 일월담 왕복 버스표	일월담 셔틀 보트	일월담케이블카 왕복 탑승권	일월담 셔틀 버스	자전거 대여권	쉐이셔 – 샹산 편도 버스표	구족문화촌 입장권
수륙공 패키지	NT$460	X	○	○	○	X	○	X
	NT$790	○	○	○	○	X	○	X
자전거 패키지	NT$1,160	○	○	○	○	X	○	○
	NT$680	○	○	X	○	X	○	X
실버 패키지	NT$380	X	○	○	○	X	X	X
	NT$560	○	○	○	○	X	○	X

쉐이셔관광센터

타이중에서 출발한 타이완 하오싱 버스의 종착지로 일월담 여행의 시작지다. 버스에서 내리자마자 사람들이 몰려와 중국어를 쏟아내는데, 셔틀 보트와 자전거 업체 호객꾼들이므로 크게 당황하지 않아도 된다. 적당히 무시하며 지나가거나 일월담 패키지 티켓을 보여주면 알아서 다른 관광객에게 간다.

쉐이셔 관광센터 인근으로는 다양한 숙박업소와 현지 음식점, 기념품 상점 등이 몰려있으며, 다른 지역으로 오가는 버스 모두 쉐이셔 관광센터에서 출발하기 때문에 일월담 숙박 시 추천하는 장소다. 관광센터 외부에 코인락커도 설치돼있으므로 당일치기 여행 시 활용하자.

주소_ 南投縣魚池鄉中山路163號
위치_ 타이중역에서 열차로 약 1시간 50분 소요

자이언트 바이크
安心騎自行車租賃店
안신치쯔싱처주린디엔

쉐이셔관광센터 인근에 있는 자전거 대여 업체 중 가장 오랜 시간 영업하는 곳이다. 친절하고 영어 실력이 좋은 여성 직원이 있어 자전거 대여가 어렵지 않다. 일반 자전거의 경우 셔틀보트에 갖고 탈 수 있는데, 해당 업체에서 셔틀보트 자전거 티켓 구매 대행을 부탁하면 할인된 가격에 티켓을 구매할 수 있다. 자전거 대여 시 신분증을 맡겨야한다.

홈페이지_ 0492855409.ego.tw
주소_ 南投縣魚池鄉中山路149號
위치_ 쉐이셔관광센터에서 도보 1분
시간_ 07:00~18:00
요금_ 1일 기준 일반자전거 NT$200
　　　전동자전거 NT$300
전화_ 049-285-5409

함벽보도
涵碧步道 | 한비부다오

메이허공원부터 시작하는 일월담의 산책길 중 한 곳으로, 쉐이셔 선착장 인근에 위치해있어 쉐이셔에서 숙박하는 여행자들에게 추천하는 산책길이다. 젖을 함涵, 푸를 벽碧자를 써서 푸른 빛으로 젖은 산책로라는 뜻을 갖고 있으며 산책로의 오른쪽으로는 푸른빛의 녹음이, 왼쪽으로는 일월담의 푸른 물빛이 펼쳐져 함벽보도라는 뜻이 아주 적절하다. 경사가 완만하므로 어르신들도 산책하기 좋으며, 전체 코스 또한 1.5km로 짧은 편이기 때문에 부담 없이 걷기 좋다.

주소_ 南投縣魚池鄉中興路114-3號
위치_ 쉐이셔 선착장에서 도보 약 3분
전화_ 049-285-5353

용봉궁
龍鳳宮 | 롱펑꽁

용봉궁은 입구에 다채로운 색깔을 가진 용과 봉황이 맞아주는 사당이다. 사당 한쪽에서는 부부의 인연을 맺어주는 전설 속의 노인으로 유명한 월하노인을 모시고 있는데, 용봉궁의 월하노인은 대만에서도 이름날 정도로 영험하다고 한다.

빠르면 한달, 늦어도 반년이면 짝을 점지한다는 이야기도 있으므로 평평한 도로가 아닌 오르막길 위에 위치해있으며, 사당 맞은편에서도 멋진 일월담 풍경을 볼 수 있다.

주소_ 南投縣魚池鄉中山路291-26號
위치_ 쉐이셔관광센터에서 도보 약 8분
전화_ 049-285-6818

샹산자전거길
自行車道 | 샹산쯔싱쳐다오

쉐이셔관광센터에서부터 샹산관광센터
까지 이어지는 약 3km의 샹산자전거길은
일월담이 자랑하는 자전거길로, CNNGo
에서 '세계에서 가장 아름다운 자전거 도
로 10'에 선정된 곳이다. 안전하고 편안하
게 정비된 자전거 도로에서 넓고 푸른 일
월담의 풍경을 감상해본다면 일월담 여
행의 잊을 수 없는 기억으로 남을 것이
다. 샹산자전거길의 중간지에는 흰색 교
각과 목제 인도길이 있는데 현지인들에
게 인기 있는 웨딩 사진 촬영지일 정도로
아름답다.

위치_ 쉐이셔관광센터에서부터 샹산관광센터까지
약 3km 구간

샹산관광센터
向山遊客中心 | 샹산요크중신

샹산관광센터는 건물 맞은편에 일월담이 펼쳐져 있는데, 건물 바로 앞에 얕은 인공 호수를 만들어 놓아 마치 호수가 이어지는 듯 한 느낌이 들어 자연과 어우러진 하나의 미술관같은 느낌이다. 센터 앞에 있는 정원 또한 일월담의 정취를 느끼며 산책하기 좋으며, 일월담 호수가 바로 보이는 카페 또한 인기이므로 시원한 음료와 함께 일월담의 푸른 풍경을 감상해보기를 추천한다. 샹산관광센터는 행정센터인 사무실과 관광안내센터 두 개의 동으로 이뤄져 있으며 건물 위로도 올라가볼 수 있다. 내부에는 일월담 지역의 예술과 풍속, 농산물과 특산품, 문화와 역사 등에 대한 전시관이 있다.

주소_ 南投縣魚池鄉中山路599號
위치_ 쉐이셔관광센터에서 3km,
　　　 타이완 하오싱버스 6670 탑승 후 샹산관광센터
　　　 (向山遊客中心) 하차(하루 4편 운행)
시간_ 09:00~17:00
전화_ 049-285-5668

샹산현비식관경대
向山懸臂式觀景台 | 샹샨쒸엔비시관징타이

호수면으로부터 약 10m 정도 위에 있는 전망대다. 철강 소재를 사용하여 특수 기술로 만들었기 때문에 수십명도 올라갈 수 있다. 하지만 걸을 때마다 가볍게 흔들리는데다 끝으로 갈수록 다소 경사지기 때문에 조금 무섭기도 하다.

관경대로까지는 나무 산책로로 이어져 있기 때문에 가볍게 산책하며 걸어가는 것도 좋다. 하지만 자전거 허용 도로기 때문에 좁은 길이 자전거와 사람으로 꽤 혼잡할 때도 있으므로 주의하는 것이 좋다.

위치_ 샹산관광센터에서 도보 약 8분

문무묘
文武廟 | 원우먀오

문신인 공자와 무신인 관우를 대표로 하여 여러 유교, 불교, 도교 신을 모시는 사당이다. 1938년에 지어졌지만 9.21 대지진으로 무너져 1969년 중국 북방식 건물로 재건됐다. 거대하고 웅장한 규모와 주홍빛 지붕, 그리고 붉은 색의 사자상이 양옆을 굳건히 지키고 있는 문무묘의 첫인상은 일반적인 사당보다는 중국의 궁에 들어온 듯 한 느낌이 들기도 한다.

문무묘는 지형적으로 높은 곳에 위치해있기 때문에 사원 맞은편에서 광활하게 펼쳐져 있는 일월담 풍경을 만나볼 수 있다.

홈페이지_ zh-tw.facebook.com/wenwutemple
주소_ 南投縣魚池鄉中正路63號
위치_ 쉐이셔관광센터에서 약 3km,
일월담 셔틀버스 6669 탑승 후 문무묘(文武廟)
하차
전화_ 049-285-5122

일월담 케이블카
日月潭纜車 | 르웨탄란처

일월담 옆에 위치한 구족문화촌을 가기
위한 케이블카다. 케이블카는 총 1,877km
의 구간을 운행하며, 높은 고도를 약간 빠
른 속도로 운행한다.
일정에 구족문화촌이 없다 해도 한번쯤
타보면 좋을 정도로 케이블카를 타고 오
가는 경관이 매우 멋지다. 케이블카를 타
는 곳에는 식당과 카페, 기념품점 등이 있
어 한번 쓱 둘러보거나 더운 날에 쉬어가

기도 좋다. 케이블카는 왕복 15분 정도 소
요되지만 대기 인원이 많아 소요 시간이
조금 더 걸리는 편이다.

홈페이지_ ropeway.com.tw
주소_ 南投縣魚池鄉中正路102號
위치_ 문무묘에서 약 5km, 일월담 셔틀버스 탑승
　　　일월담(日纜站)역에서 하차
시간_ 월~금 10:30~16:00
　　　토, 일, 공휴일 10:00~16:30
요금_ 왕복요금 : 성인 NT$300
　　　장애인 및 임신부
　　　6세 이하 및 100cm 이상 어린이 NT$250
전화_ 049-285-0666

구족문화촌
九族文化村 | 주쭈원화촌

대만의 9개 원주민 부족이 모여 사는 마을로 총 면적이 62헥타르에 달한다. 문화촌 내부는 각 부족의 생활상을 꾸며놓은 민속촌과 함께 놀이공원이 조성돼있다. 다양한 볼거리와 놀거리가 많기 때문에 아이 동반 가족 여행객은 언제나 방문해도 좋으며 벚꽃이 피는 봄철에는 더욱 더 아름다워 커플도 많이 방문한다. 문화촌에서 원주민들의 각종 공연과 놀이기구를 즐기다보면 마감 시간이 금방 다가오기 때문에, 입장료 값만큼 제대로 즐기려면 오픈 시간에 도착하는 것이 좋다. 구족

문화촌과 일월담을 오가는 케이블카는 구족문화촌 운영 시간보다 일찍 끝나기 때문에 방문 시 시간에 주의하는 것이 좋다. 입장권은 케이블카 매표소에서 함께 구매할 수 있으며, 입장료에 케이블카 이용권이 포함돼있다.

홈페이지_ nine.com.tw
주소_ 南投縣魚池鄉金天巷45號
위치_ 일월담 케이블카를 타고 약 10분 소요
시간_ 월~금 9:30~17:00
　　　　토, 일, 공휴일 9:30~17:30
요금_ 성인 NT$850 / 학생 NT$750
　　　　12세 이하, 150cm 이하 어린이 NT$650
　　　　노약자 및 장애인, 3세 이상 및 6세 미만
　　　　NT$650
전화_ 049-289-5361

이다샤오 관광센터
伊達邵遊客中心 | 이다샤오요크중신

선착장 바로 앞과 이다샤오 마을로 들어가는 입구에 위치해있으며 탁 트인 일월담을 뒤로 하고 있다. 관광센터에는 음식점과 기념품 상점이 있으며, 관광센터 광장을 지나 직진하면 이다샤오 마을의 상점가와 음식점 거리로 바로 들어설 수 있다. 직진이 아닌 왼편으로 가면 중고급 숙박 업소가 있는 거리가 나오며, 자전거를 대여하려면 광장에서 직진하여 큰 대로가 나오는 곳까지 이동해야 업체가 여러 개 있는 편이다.

주소_ 南投縣魚池鄉文化街127號
위치_ 쉐이셔선착장에서 셔틀 보트 탑승하여 이다샤오 선착장에서 하차
시간_ 09:00~17:00
요금_ 성인 셔틀보트 전구간 이용권 NT$300
　　　1구간 이용권 NT$100
전화_ 049-285-0289

묘두응공창
貓頭鷹工廠 | 마오터우잉궁창

샤오족은 과거부터 올빼미를 신성한 동물로 여겨 샤오족 마을인 이다샤오에서는 올빼미와 관련된 귀여운 상품을 여기저기 있는 상점에서 찾아볼 수 있다.
그 중 묘두응공창은 2005년에 일월담에서 영업을 시작하여 모든 제품을 직접 제작한 수제 상품을 판매하는 곳이다. 열쇠고리 같은 작은 장식용 기념품부터, 인형,

시계, 티셔츠 등 올빼미와 관련된 다양한 상품을 판매하고 있으므로, 구경을 하다 마음에 드는 올빼미가 있다면 집으로 한 마리 데려가보자.

홈페이지_ 安心騎自行車租賃店
주소_ 南投縣魚池鄉義勇街94號
위치_ 대만원색에서 도보 약 2분
시간_ 07:00~18:00
요금_ 1일 기준 일반자전거 NT$200
　　　전동자전거 NT300
전화_ 049-285-5409

이다샤오친수보도
伊達邵親水步道 | 이다샤오친수이부다오

시끌벅적한 이다샤오 마을 한복판을 벗어나 숙소들이 들어선 마을 한구석을 유심히 살펴보면 숨겨진 세계로 들어가는 듯 유난히 좁아보이는 길이 눈에 들어온다. 간단한 간식거리를 판매하는 노점을 지나

짧은 숲 속을 걷다보면 숨겨져 있던 푸른 옥색의 일월담이 모습을 비춘다.
이다샤오친수보도는 케이블카 탑승장까지 이어져있어 산책하며 이동하기 좋고, 이다샤오 선착장에서 가까운 곳에 있으므로 배 시간이 남았을 때 둘러보기도 좋다.

주소_ 南投縣魚池鄉水秀街58號 맞은편 골목
위치_ 이다샤오 선착장에서 도보 약 8분

현장사
玄奘寺 | 쉬엔짱스

당나라 시대 인도에서 불경을 가지고 왔던 현장법사의 사리를 모시고 있는 곳으로 1965년 세워진 사찰이다. 현장법사는 한국 사람들에게도 익숙한 서유기의 현장법사와 동일인물이며, 현장사의 3층에는 현장법사의 유물이 있다.

신도들과 관광객들이 정숙을 지키며 참배하고 둘러보아 조용하고 엄숙한 느낌이 든다. 짧고 높은 계단을 올라가 뒤를 돌아보면 탁 트여있는 일월담 호수를 만날 수 있다.

홈페이지_ facebook.com/xuanzangTemple
주소_ 南投縣魚池鄉中正路389號
위치_ 이다샤오마을에서 약 4㎞, 일월담 셔틀버스 탑승 후 현장사(玄奘寺)에서 하차
시간_ 07:30~17:30
전화_ 049-285-0220

라루섬
拉魯島 | 라루다오

일월담의 월月 쪽에 위치해 있는 섬으로 라루섬을 기준으로 일월담의 해와 달이 나뉘어진다. 라루는 샤오족 고유 언어로 조령지(조상의 혼령을 모시는 땅)를 의미하며, 샤오족과 관련한 자료와 상징물들이 전시돼있었다.

이전에는 전에는 배를 타고 섬에 입장하는 것이 가능했지만, 9.21의 대지진으로 라루섬이 점점 가라앉으며 입장이 불가해졌다. 현광사 선착장에서 쉐이셔 선착장으로 가는 셔틀 보트를 타면 짧은 시간이지만 라루섬을 가까이서 볼 수 있다.

위치_ 일월담 호수 가운데

EATING

마배관
碼啡館

어느 곳이나 전통 음식점이 존재하듯 일 월담에서도 샤오족의 전통 음식 세트를 먹어볼 수 있다. 바로 샤오족 원주민들이 먹던 요리를 모아놓은 샤오쭈펑웨이찬邵族風味餐이다. 음식에는 나무로 조각한 원주민 모양 접시와 커다란 나뭇잎이 같이 세팅돼 나와 눈과 입이 즐거워진다.

하버리조트 호텔에 있는 음식점이기 때문에 음식의 위생이나 가게의 청결도 또한 신경쓰지 않고 먹을 수 있으며, 위치상으로는 쉐이셔 선착장 바로 앞에 있기 때문에 헤매지 않고 쉽게 찾아갈 수 있다.

주소_ 南投縣魚池鄉名勝街11號B1樓
위치_ 하버리조트 호텔 지하 1층,
　　　 쉐이셔 선착장 바로 앞
시간_ 11:00〜21:00
요금_ 샤오쭈펑웨이찬(邵族風味餐) NT$325
전화_ 049-285-5143

스타벅스
星巴克日月潭門市 | 싱바커르위에탄믄시

스타벅스야 전세계 어디에나 있기에 꼭 일월담에 와서 스타벅스를 들러야 하는 이유는 없지만, 그럼에도 불구하고 일월담에 위치한 스타벅스를 들러야 하는 이유는 역시 일월담의 풍경을 감상하며 커피를 마실 수 있기 때문일 것이다.

날이 웬만하게 덥지 않은 이상 야외 테라스 자리에 앉아 푸른 하늘과 일월담을 배경으로 디저트와 커피 한잔을 마시며 여유로운 시간을 보내보길 추천한다. 특히 스타벅스의 시티컵을 모으는 여행자라면 반드시 들러 일월담 머그컵을 손에 넣도록 하자.

주소_ 南投縣魚池鄉中山路101號
위치_ 라고 호텔 1층
시간_ 일~금 08:00~212:00 / 토 08:00~21:30
요금_ 음료류 NT$85~
전화_ 049-285-6849

대만혜손가배-샹산가배청
向山咖啡廳 – 台灣惠蓀咖啡
샹산카페이팅-타이완훼이쑨카페이

샹산관광센터에 위치한 카페로, 대만에
서 자란 원두를 사용하여 커피를 만드는
프렌차이즈 카페다. 대만산 커피콩으로
뽑아낸 커피는 함량 100%와 25%로 나누
어져 있으므로 취향에 따라 골라보자.
카페는 외부 테라스와 내부 테이블로 나
누어져 있으며, 탁 트인 일월담을 배경으
로 음료 뿐만 아니라 간단한 디저트부터

식사까지 할 수 있다. 샹산관광센터까지
자전거로 열심히 달려왔다면 시원한 음
료로 뜨거웠던 머리를 식히고 달달한 디
저트나 간단한 식사거리로 꺼진 배를 채
우고 돌아가자.

홈페이지_ huisun.tw
주소_ 南投縣魚池鄉中山路599號
위치_ 샹산관광센터 내 위치
시간_ 월~금 09:00
요금_ 음료류 NT$80~
전화_ 049-285-6620

스모키조
SMOKEY JOE'S

대만식 음식을 도무지 먹을 수 없을 때 방문하면 좋을 텍스멕스Tex-Mex 음식점이다. 텍스멕스는 텍사스와 멕시코의 음식을 퓨전해 만든 음식을 부르는 것으로, 우리 입맛에도 익숙한 치킨, 피자, 파스타 등을 판매하고 있어 부담 없이 먹을 수 있다. 꼭 식사가 아니라 음료나 디저트만 먹어도 상관없다.

내부는 열대 휴양지처럼 에너지 넘치는 분위기이며, 테라스 자리에서는 일월담의 푸른 하늘과 호수를 감상하며 식사할 수 있다. 이다샤오의 현지 음식점에 비해 가격이 있지만 양 또한 많은 편이다.

홈페이지_ facebook.com/smokeynoessunmoonlake
주소_ 南投縣魚池鄉文化街127號2F
위치_ 이다샤오관광센터 2층에 위치
시간_ 11:00∼19:00
요금_ 음식류 NT$200∼
전화_ 049-285-0142

Tea18

대만에서 차 재배 지역으로 유명한 일월담과 아리산 지역에서 난 찻잎으로 만든 음료를 만나볼 수 있는 곳이다. 더불어 고양이 한 마리가 터줏대감이자 마스코트로 있는 곳이므로 고양이 덕후라면 꼭 가보자.

질 좋은 차가 들어간 음료를 저렴하게 판매하여 부담이 없는 곳으로, 차가 들어간 음료 뿐만 아니라 홍차 아이스크림 또한 인기메뉴다. 매장 안으로 들어가면 작은 정원처럼 꾸며진 테라스 자리가 있다. 일월담의 따스한 햇살을 만끽하며 일월담에서 난 차를 마셔도 좋으며, 음료 맛이 맘에 든다면 매장 한 켠에 있는 상점에서 찻잎을 구매해 가져가자.

홈페이지_ tea18.com.tw
주소_ 南投縣魚池鄉德化街10-1號
위치_ 대만원색에서 도보 1분
시간_ 09:00~21:00
요금_ 음료류 NT$45~
전화_ 0963-835-168

녹사안 판판지츠

麓司岸 飯飯雞翅 | 루쓰안판판지츠

닭날개 속을 파내고 볶음밥을 채워 넣은 뒤 양배추나 양파, 파를 올린 닭날개 볶음밥인 판판지츠^{飯飯雞翅}를 판매하는 노점이다. 판판지츠는 달콤매콤한 소스를 발라 구워낸 닭날개는 겉은 바삭하고 속은 촉촉하며, 적당히 달고 짜고 매콤한 맛으로 향신료 향도 크게 나지 않아 한국인 입맛에도 편하다.

손님이 많기 때문에 이미 만들어져 있는 것도 많지만, 따뜻하게 다시 데워주기 때문에 맛있게 먹을 수 있다. 판판지츠 외에 새우튀김이나 다른 튀김류도 판매한다.

홈페이지_ facebook.com/lusihan.wings
주소_ 南投縣魚池鄉義勇街22號
위치_ Tea18에서 도보 약 2분
시간_ 10:00~18:30
요금_ 판판지츠(飯飯雞翅) NT$65
전화_ 0982-865-360

연기주불복매
年記做不復賣 | 넨지주어부푸마이

언제나 대기 인원이 있을 정도로 인기 많은 튀김 만두 전문점이다. 오래된 유명 맛집이라는 것을 증명하듯, 만두를 열심히 만들고 튀겨내는 주인의 뒤편으로 해당 음식점을 방문한 대만의 유명인들과 함께 찍은 사진과 각종 매체에 소개됐던 사진이 대문짝만하게 걸려있다.

이곳의 메뉴는 튀김만두 단 한 개이며, 성인 주먹만 한 커다란 튀김 만두 안에는 특별한 재료 없이 양배추와 당면, 표고버섯이 들어가 있는데 맛이 꽤 좋다. 주인 부부는 만두 만들기에 여념이 없기 때문에 알아서 돈을 내고 잔돈을 거슬러 가면

되며, 만두도 스스로 봉투에 넣고 소스 또한 취향에 따라 뿌리면 된다.

주소_ 南投縣魚池鄉義勇街75號
위치_ 녹사안 판판지츠에서 도보 30초
시간_ 10:00~17:00
요금_ 튀김만두 NT$40
전화_ 0910-522-678

SLEEPING

호텔 델 라고
日月潭大淶閣飯店
Hotel Del Lago | 르웨탄다라이거판디엔

쉐이셔관광센터에서 도보 약 3분 밖에 안 되는 거리에 위치해있는 4성급 호텔로, 일월담에 있는 호텔 중 가장 좋은 위치를 갖고 있다고 말할 수 있는 곳이다.
모든 객실 요금에는 조식이 포함돼 가격은 조금 더 올라가지만, 질 높은 서양식을 기반으로 다양한 동서양권의 음식이 준비되기 때문에 만족하고 먹을 수 있다. 자전거를 무료로 대여해주는 장점도 있지만 침대가 특히 편안한 것으로 투숙객들의 만족도를 얻은 곳이다.

홈페이지_ dellago.com.tw
주소_ 南投縣魚池鄉中山路101號
위치_ 쉐이셔관광센터에서 도보 약
시간_ NT$4,490~
전화_ 049-285-6688

웬완 리조트
日月行館
The Wen Wan Resort | 르위에싱관

관광객이 많은 쉐이셔에서 조금 더 깊이 들어가 조용한 숙박 환경을 제공하는 5성급 럭셔리 호텔이다. 이집트산 면 시트, 오리/거위털 이불의 고급 침구를 제공하여 투숙객의 편안한 숙면을 도와 만족도를 높인다.

높은 지대에 위치한 고층 호텔인 웬완 리조트가 가진 인피니티풀은 일월담의 푸른 하늘과 호수가 한눈에 보여 일월담을 떠나고 싶지 않을 정도의 절경을 자랑하며, 어린이 수영장도 있어 어린이를 동반한 가족 여행객에게도 좋다.

홈페이지_ thewenwan.com
주소_ 南投縣魚池鄉中興路139號
위치_ 쉐이셔선착장에서 도보 약 10분
요금_ NT$8,580〜
전화_ 049-285-5555

더 라루 호텔
The Lalu Hotel

단연코 일월담의 최고급 럭셔리 호텔이라고 소개할 수 있는 호텔이다. 첫 느낌은 미술관 같은 분위기의 호텔로 모든 공간이 정갈하고 고요하며, 높지 않은 곳에 위치한 인피니티풀은 일월담에 몸을 담근 것 같은 착각이 든다.

스파, 사우나, 헬스, 도서관 등 호텔 측에서 제공하는 다양한 서비스는 높은 가격이라는 단점을 상쇄해버리며, 평점 또한 4점 이하를 내려가지 않을 정도로 언제나 투숙객들의 만족을 위해 노력한다. 호텔 내에는 4개의 레스토랑이 있어 멀리 나가지 않고도 식사를 해결할 수 있으며, 숙박요금에 아침 식사가 포함돼있다.

홈페이지_ facebook.com/CedarTeaHouse
주소_ 南投縣水里鄉民權巷5號
위치_ 쉐이셔선착장에서 도보 약 10분
시간_ 월, 수~금 10:00~18:00 / 토, 일 10:00~18:30
　　　화요일 휴무
요금_ NT$14,590~
전화_ 049-277-2873

RENT

디어 트레블러 호스텔
行鹿青旅 背包客棧
Deer Traveler Hostel | 싱루칭뤼베이바오커잔

쉐이셔관광센터에서 도보 약 2분 거리에 있는 호스텔이다. 외관이 허름해 보이기 때문에 다소 꺼려질 수 있지만 내부는 깨끗하고 현대적이며, 위치도 완벽한데다 가격까지 저렴해 여행자들의 인기를 끌기 시작한 곳이다. 룸은 도미토리와 개인 룸으로 나누어져 있으며, 도미토리는 여성전용과 남성전용으로 또 나누어져 있어 안전하다. 도미토리의 개인 침대에는 사생활 보호 커튼과 개인 전등이 달려있어 편리하다.

홈페이지_ deertravelerhostel.ego.tw
주소_ 南投縣魚池鄉中山路108號2F-4F
위치_ 쉐이셔관광센터에서 도보 약 2분
요금_ NT$510～
전화_ 0906-140-703

위에레이크 백패커스
玥湖背包客讚民宿

오랜기간 일월담을 방문하는 배낭여행자들의 안락한 쉼터가 되어준 호스텔로, 쉐이셔관광센터에서 조금 떨어져있지만 충분히 걸을만한 거리에 위치해있다. 수건을 무료로 제공하며 친절한 직원들이 여행 방법 및 꿀팁과 쿠폰도 제공해준다. 룸은 디어 트레블러 호스텔과 똑같이 도미토리와 개인룸으로 나누어져 있으며, 도미토리는 여성전용과 남성전용으로 또 나누어져 있어 안전하다. 한화 약 3,000원의 저렴한 가격에 제공하는 조식은 가짓수가 많지는 않더라도 충분히 배를 채우고 나갈 수 있다.

홈페이지 yuelake.com
주소 南投縣水里鄉民權巷5號
위치 쉐이셔관광센터에서 도보 약 6분
요금 NT$490〜
전화 049-285-6561

밍위에후 호텔
明月湖品味湖畔旅店
Mingyuehu Hotel | 밍위에후핀웨이후판뤼디엔

이다샤오 관광센터에서 도보 약 2분 거리에 있는 3성급 호텔이다. 모든 룸에 조식이 포함돼있어 가격이 조금 올라가지만 성급 및 시설에 대비해 못미치는 가격은 아니다. 조식은 동서양 음식이 적절히 섞여있지만 대체로 중화권 음식 위주로 한

국인 여행자들은 조금 아쉬울 수 있다. 일월담에 가까이 위치해있으면서 합리적인 가격에 호수 전망 룸을 제공하는 곳이며, 침대가 편안하여 투숙객들의 룸 만족도가 높은 편이다.

홈페이지_ mingyuehu.com.tw
주소_ 南投縣魚池鄉水沙連街11號
위치_ 이다샤오관광센터에서 도보 약 2분
요금_ NT$3,350~
전화_ 049-285-0501

릴리가든호텔
力麗哲園 - 日潭館
Lealea Garden Hotel | 리리저위엔 리탄관

이다샤오관광센터에서 도보 약 3분에 위
치한 4성급 호텔로, 성급에 대비해 저렴
한 가격에 숙박할 수 있는 점이 매력적인
곳이다.
룸은 매우 고급스러운 편은 아니더라도
현대적이고 깔끔한 편이며, 모든 룸에 조

식 요금이 포함돼있다. 조식은 유럽식 음
식을 중점적으로 제공하여 한국인 여행
자들도 편하게 먹을 수 있다. 호텔에서 자
전거를 무료로 대여해주므로 릴리가든호
텔에 방문한다면 꼭 잊지 말자.

홈페이지_ lealeahotel.com
주소_ 南投縣魚池鄉水秀街7號
위치_ 이다샤오관광센터에서 도보 약 3분
요금_ NT$3,890~
전화_ 049-285-0022

이다샤오관광센터에서 도보 약 4분거리에 있어 위치면에서도 좋은 편으로, 모든 시설이 깨끗하고 청결하게 유지되며 직원들도 친절해 대체적으로 만족도가 높은 곳이다.

리치포레스트 호텔
力麗儷山林會館日月潭館
The Richforest Sun Moon Lake

성급 대비 저렴한 가격에 수영장, 사우나, 노래방, 당구장, 레스토랑 등 다양한 부대시설까지 갖춘 4성급 호텔이다. 목재 벽면의 객실은 편안함과 안락함을 선사하고, 시설은 매우 고급스러운 편은 아니라도 리치포레스트 호텔만의 감성을 갖고 있다.

홈페이지_ facebook.com/CedarTeaHouse
주소_ 南投縣魚池鄉水秀街31號
위치_ 이다샤오관광센터에서 도보 약 4분
요금_ NT$3,600~
전화_ 049-285-0000

여행 대만어(중국어) 회화

〈기본 인사 표현〉

한국어	중국어	발음
안녕하세요	您好	니하오
감사합니다	谢谢	셰셰
죄송합니다	对不起	뚜이부치
잠시만 기다려주세요	稍等一下	샤오덩이샤
사과드립니다	我道歉	워 따오 첸
저기요	前面那位	첸멘 나 웨이
잠깐만요	喂	웨이
실례합니다	不好意思	뿌하오이쓰
비켜주세요	请让一下	칭 랑 이샤
도와주세요	请帮帮我	칭 빵방 워
부탁합니다	拜托您	빠이퉈 닌
조심하세요	请小心	칭 샤오신
만나서 반가워요	见到您很高兴	젠따오 닌 헌 까오싱
다음에 또 만나요	再见	짜이지엔
안녕히 주무세요	晚安	완안
네	是	쓰
아니오	不是	부쓰

〈기본 대화 표현〉

한국어	중국어	발음
한국 사람인가요?	您是韩国人吗？	닌 스 한궈런 마?
한국 사람이에요	我是韩国人	워 스 한궈런
중국 사람인가요?	您是中国人吗？	닌 스 중궈런 마?
몇 살이세요?	您今年多大年纪了？	닌 진녠 뭐따 녠지 러?
나이를 여쭤 봐도 될까요?	我可以问您的年龄吗？	워 커이 원 닌 더 녠링 마?
무슨 일을 하세요?	您做什么工作？	닌 쭤 선머 꿍쭤?
학생이에요	我是学生	워 스 쉬에성
회사원이에요	我是公司职员	워 스 꿍쓰 즈위앤
결혼하셨어요?	您结婚了吗？	닌 제 훈 러 마?
취미가 무엇인가요?	您的爱好是什么？	닌 더 아이하오 스 선머?
저는 사진 찍는 걸 좋아해요	我喜欢拍照	워 시환 파이 자오
저는 책을 읽어요	我看书	워 칸 수
종교가 있어요?	您有宗教信仰吗？	닌 여우 쭝쟈오 신양 마?

〈기본 생활 표현〉

한국어	중국어	발음
이건 뭐예요?	这是什么	저 스 선머?
다시 말씀해주세요	请您再说一遍	칭 닌 짜이 숴 이빤
이건 무슨 뜻이에요?	这是什么意思	저 스 선머 이쓰?
서두르세요	请快点	칭 콰이 뎬
저 급해요	我有点着急	워 여우뎬 자오 지
늦었어요	晚了	완 러
물어볼 게 있어요	有件事想问问您	여우 젠 스 샹 원원 닌
몇 시에 문을 열어요?	几点开门	지뎬 카이 먼?
아침 10시에 열어요	上午10点开门	상우 스 뎬 카이 먼
몇 시에 문을 닫아요?	几点关门	지뎬 꽌 먼?
저녁 10시에 닫아요	晚上10点关门	완상 스 뎬 꽌 먼
안으로 들어오세요	请进	칭 진
화장실은 어디예요?	洗手间在哪儿？	시서우젠 짜이 나얼?
그게 어디에 있지요?	那个在哪儿？	나거 짜이 나얼?
여기 있어요	在这儿	짜이 저얼
그곳은 어디에 있어요?	那个地方在哪儿？	나거 띠팡 짜이 나 얼?
이것은 어떻게 사용해요?	这个怎么用？	저거 쩐머 융?
여기 자리 있어요?	这里有人吗？	저리 여우런 마?
일요일에도 문을 열어요?	星期天也开门吗？	싱치 텐 예 카이 먼 마?
이해가 돼요?	明白了吗？	밍바이 러 마?
이해가 안돼요	不明白	뿌 밍바이
뭐라고 하셨죠?	您说什么？	닌 숴 선머?
잘 알아듣지 못했어요	我没听懂	워 메이 팅둥
이건 중국말로 뭐라고 해요?	这个用中文怎么说？	저거 융 쭝원 쩐머 숴?
전화번호가 어떻게 되세요?	您的电话号码是多少？	닌 더 뗸화 하오마 스 뚸사오?
이거 한 개 주세요	这个给我一个	저거 게이 워 이 꺼
지금 몇 시예요?	现在几点了？	셴짜이 지뎬 러?

〈공항에서〉

한국어	중국어	발음
여권을 보여주세요	请出示您的护照	칭 추스 닌 더 후자오
여기 있어요	给您	게이 닌
탑승은 언제부터 하나요?	从什么时候开始登机？	충 선머 쒀허우 카이스 떵지?
이 짐을 부쳐 주세요	这个行李我要托运	저거 싱리 워 야오 퉈윈
이것을 기내로 가져갈 수 있어요?	这个能带上飞机吗？	저거 넝 따이샹 페이지 마?
탑승권 좀 보여주세요	请出示您的登机牌	칭 추스 닌 더 떵지파이
국적이 어디입니까	您国籍是哪里？	닌 궈지 스 나리?
한국입니다	是韩国	스 한궈
어떤 목적으로 오셨습니까?	您来做什么 ？	닌 라이 쭤 선머?
관광입니다	是旅游	스 뤼여우
어디에 머무르실 예정입니까?	打算住在哪儿？	다쏸 주짜이 나얼?
호텔에 있을 겁니다	打算在酒店住	다쏸 짜이 쥬뗸 주
자리를 바꿔도 돼요?	可以换一下座位吗？	커이 환 이샤 쭤웨이 마?
입국 신고서를 한 장 더 주세요	请再给我一张入境卡	칭 짜이 게이 워 이 장 루징카
수하물 찾는 곳이 어디에요?	行李在哪儿取？	싱리 짜이 나얼 취
제 짐이 없어졌어요	我的行李不见了	워 더 싱리 부 젠 러

〈숙소에서〉

한국어	중국어	발음
체크인하고 싶습니다	我想办理入住手续	워 샹 빤리 루주 서우쉬
다른 방으로 바꿔 주세요	请给我换一个房间	칭 게이 워 환 이 꺼 팡젠
수건을 더 주세요	请再给我几条毛巾	칭 짜이 게이 워 지 탸오 마오진
체크아웃은 몇시에요?	几点退房？	지뎬 투이팡?
저녁까지 제 짐을 보관해주실 수 있어요?	能把我的行李保管到晚上吗？	넝 바 워 더 싱리 바오관따오 완샹 마?
택시를 불러 주세요	请给我叫一辆出租车	칭 게이 워 쟈오 이 량 추쭈처

〈식당에서〉

한국어	중국어	발음
주문하시겠어요?	您要点菜吗？	닌 야오 뎬 차이 마?
여기 메뉴판 주세요	请把菜单给我拿来一下	칭 바 차이딴 게이 워 나라이 이샤
여기 주문 받아 주세요	我们要点菜	워먼 야오 뎬 차이
영어 메뉴판이 있어요?	有英文菜单吗？	여우 잉원 차이딴 마?
계산서 주세요	请给我账单	칭 게이 워 장딴
신용카드로 해도 돼요?	能用信用卡付钱吗？	넝 융 신융카 푸첸 마?

〈상점에서〉

한국어	중국어	발음
이거 입어봐도 됩니까?	这个可以试穿一下吗？	저거 커이 스촨 이샤 마?
좀 깎아 주세요	便宜点吧	펜이 뎬 바
이건 얼마에요?	这个多少钱？	저거 뚸사오 첸?
비싸요	太贵了	타이 꾸이 러
계산하는 곳이 어디에요?	收款台在哪儿？	서우콴타이 짜이 나얼?
다른 것으로 바꿔주세요	请给我换一个别的	칭 게이 워 환 이 꺼 볘더

〈이동할 때〉

한국어	중국어	발음
여기가 어디에요?	这里是哪儿？	저리 스 나얼?
지하철역까지 이 길로 가면 됩니까?	去地铁站走这条路行吗？	취 띠톄잔 쩌우 저 탸오 루 싱 마?
걸어서 얼마나 걸려요?	走着去需要多长时间？	쩌우 저 취 쉬야오 뚸 창 스젠?
이 주소가 여기예요?	这个地址是这里吗？	저거 띠즈 스 저리 마?
거기까지 가는 데 얼마나 걸릴까요?	走到那儿得多长时间？	쩌우따오 나얼 데이 뚸 창 스젠?
요금이 어떻게 돼요?	车费是多少钱？	처페이 스 뚸사오 첸?

363

〈관광할 때〉

한국어	중국어	발음
관광안내소가 어디예요?	旅游咨询处在哪儿？	뤼여우 쯔쉰추 짜이 나얼?
무료 지도가 있어요?	有没有免费地图？	여우 메이여우 몐페이 띠투
입장료는 얼마예요?	门票多少钱？	먼퍄오 뚸사오 첸?
이 고장 특산물은 뭐예요?	这个地方特产是什么？	저거 띠팡 터찬 스 선머?
관광 안내 책자 하나 주세요	请给我一本旅游指南	칭 게이 워 이 번 뤼여우 즈난
사진을 좀 찍어 주시겠어요?	您能给我们照张相吗？	닌 넝 게이 워먼 자오 장 샹 마?

〈중국어 메뉴판 읽기 – 조리법과 기본 재료〉

한국어	중국어	발음
튀기다	炸	쟈
굽다	烤	카오
볶다	炒	차오
삶다, 끓이다	煮	주
지지다, 부치다	煎	지엔
찌다	蒸	쩡
해산물	海鲜	하이씨엔
생선	鲜鱼	시앤위
새우	虾	시야
오징어	鱿鱼	여우위
조개	蛤蜊	거리
가리비	扇贝	산뻬이
양고기	羊肉	양러우
소고기	牛肉	뉴러우
차돌박이	肥牛	페이니우
돼지고기	猪肉	쭈로우
닭고기	鸡肉	지러우
채소	蔬菜	슈차이
청경채	青菜	칭차이

한국어	중국어	발음
배추	白菜	바이차이
작은 배추	娃娃菜	와와차이
양배추	包菜	바오차이
무	萝卜	루오뿌어
양상추	圆生菜	위엔셩차이
숙주	绿豆芽	뤼또우야
버섯	蘑菇	모꾸
팽이버섯	金针菇	찐쩐구
표고버섯	香菇	씨앙구
느타리버섯	平菇	핑구
송이버섯	松茸	쏭롱
시금치	菠菜	뽀차이
부추	韭菜	지우차이
상추	生菜	셩차이
깻잎	苏子叶	쑤즈예
고수	香菜	샹차이
감자	土豆	투떠우
고구마	红薯	홍슈
당근	红萝卜	홍로우보
옥수수	玉米	위미
마늘	蒜头	쏸터우
파	葱	콩
양파	洋葱	양충
오이	黄瓜	황꽈
호박	南瓜	난꽈
어묵완자	鱼丸	위완
고기완자	肉丸	러우완
새우완자	虾丸	시야완
넓은 당면	宽粉	꽌 펀
얇은 당면	粉丝	천쓰

이라암

'집에 돌아오지 못하면 어떡하지?'하는 걱정 때문에 스물 전까지 혼자 지하철을 타본 적이 없던 쫄보 중에 쫄보였다. 어느 날 오로라에 치여 첫 해외여행을 아이슬란드로 다녀온 이후 여행 맛을 알게 되어 40여 개 도시를 다녀오면서 여행에 푹 빠졌다. 나만 즐거운 여행을 넘어서 성별, 성격, 장애 상관없이 모두가 즐길 수 있는 여행 문화를 만드는 것이 삶의 목표로 여행을 사랑하면서 새롭게 여행 작가로 살아가고 있다.

트랩
클로그

타이중

초판 1쇄 인쇄 l 2020년 2월 20일
초판 1쇄 발행 l 2020년 3월 2일

글 l 이라암
사진 l 이라암
기획 l 조대현
펴낸곳 l 나우출판사
편집 · 교정 l 박수미
디자인 l 서희정

주소 l 서울시 중랑구 용마산로 669
이메일 l nowpublisher@gmail.com

979-11-89553-32-6 (13980)

• 가격은 뒤표지에 있습니다.
• 이 저작물의 무단전재와 무단복제를 금합니다.
• 파본은 구입하신 서점에서 교환해드립니다.

※ 일러두기 : 본 도서의 지명은 현지인의 발음에 의거하여 표기하였습니다.